Les **LAVIGUEUR**

Catalogage avant publication de Bibliothèque et Archives nationales du Québec et Bibliothèque et Archives Canada

Bertrand, Daniel, 1972-
  Les Lavigueur : leur véritable histoire
  ISBN 978-2-89035-341-1

  1. Lavigueur, Jean-Guy – Famille. 2. Millionnaires – Québec (Province) – Biographies. 3. Gagnants à la loterie – Québec (Province) – Biographies. I. Lavigueur, Yve. I. Titre.

HG6149.Q8B47 2000   305.5'234'0922714   C00-941571-8

Les Éditions Saint-Martin bénéficient de l'aide de la SODEC pour l'ensemble de leur programme de publication et de promotion.

Les Éditions Saint-Martin sont reconnaissantes de l'aide financière qu'elles reçoivent du gouvernement du Canada qui, par l'entremise de son Programme d'aide au développement de l'industrie de l'édition, soutient l'ensemble de ses activités d'édition.

Éditeur : Richard Vézina
Photo en couverture : gracieuseté de Loto-Québec
Couverture : Ateliers Prêt-Presse
Dépôt légal : Bibliothèque nationale du Québec, 4ᵉ trimestre 2000
Première réimpression, 4ᵉ trimestre 2007
Imprimé au Québec (Canada)

© 2000 Les Éditions Saint-Martin inc.
7333, place Des Roseraies, bureau 501
Anjou, Québec H1M 2X6
Tél. : 514-529-0920
Téléc. : 514-529-8384
st-martin@qc.aira.com
www.editions-saintmartin.com

Yve Lavigueur

propos recueillis par Daniel Bertrand

LES
LAVIGUEUR

ÉDITIONS
SAINT-MARTIN

À ma mère et à mon père

PROLOGUE

Mars 1986. Sur une table de sa minuscule chambre louée, un homme a étalé le contenu d'un portefeuille. Celui d'un autre. Il y trouve un permis de conduire, une carte d'assurance maladie et quelques cartes de crédit, et d'autres pièces qui en disent long sur le propriétaire du portefeuille. Une carte d'employé de la *United Bedding Company*, émise au nom de Jean-Guy Lavigueur. Le certificat de décès d'une femme, la sienne probablement, ainsi que ceux de deux enfants, ses filles, mortes en très bas âge. Des billets de loterie, jeunes d'une courte semaine, dont un qui paraît serti d'une auréole majestueuse.

L'homme a la mine basse, les mains tremblotantes, les cheveux longs et la barbe mal rasée. Il s'inflige un douloureux examen de conscience, comprenant trop bien que la décision qu'il doit prendre sera sans doute la plus importante de sa vie. Le bon sens lui dicte un choix, sa conscience le contredit. Il semble que, il n'y a pas si longtemps, il était capable de décisions plus audacieuses, et pas nécessairement honnêtes. Aujourd'hui, il a de la peine à faire un bras d'honneur à la justice et à ne songer qu'à sa personne. Jamais il n'aurait cru qu'un tel dilemme se présenterait un jour. Jamais il ne se serait imaginé que le duel entre le bien et le mal aurait été aussi difficile à supporter.

Il l'a vérifié mille fois. À moins que le journal ait fait une erreur, à moins qu'il lise mal les combinaisons qui y sont inscrites, l'un des billets porte le numéro gagnant. 15 - 22 - 28 - 29 - 42 - 46. Les six chiffres sont justes, la date correspond à celle du tirage, ce qui donne droit au grand prix. «Le plus grand prix de l'histoire de la loterie au Québec», à en croire ce qu'en dit le quotidien. 7 650 267,10 $ que l'on s'apprête à remettre à celui qui les réclamerait, armé du bout de papier qu'il tient entre ses doigts hésitants, mais qui ne lui appartient pas en propre.

Ce Lavigueur ne paraît pas être bien riche, si l'on se fie à son adresse – un appartement de la rue Logan, dans un quartier défavorisé dans l'est de Montréal –, à son lieu de travail, situé à la limite de Pointe-Saint-Charles, et aux quelques maigres dollars froissés et entassés dans le compartiment à billets. N'a-t-il pas eu la chance de récupérer son portefeuille il y a quelques jours ? Ne l'a-t-on pas chassé, lui, le bon samaritain qui venait remettre à son propriétaire le joyau qu'il avait perdu ?

L'homme n'aurait qu'à endosser le billet gagnant, encaisser la somme d'argent et se retirer dans un endroit calme et somptueux, là où il pourrait vivre la vie d'un roi. Mais rien n'est si simple. Cette fortune colossale, s'il la touchait, le narguerait probablement toute sa vie, ou du moins jusqu'à ce qu'il se résolve à s'en défaire.

Retourner le portefeuille par la poste serait la façon d'agir la plus honnête. Mais tombera-t-il une fois de plus, par quelque nouvel accident du sort, entre de mauvaises mains ? Et cette récompense pour avoir trouvé le billet chanceux – car il est impossible qu'il n'en ait pas –, doit-il y renoncer ? Mille, dix mille, cent mille dollars même… tous les espoirs sont permis. Qui ne paierait pas une telle somme, minuscule comparée au gros lot, pour un geste aussi important, aussi juste et bon, que celui qu'il s'apprête à faire ?

C'est décidé. Demain, l'homme retournera chez les Lavigueur. Il rendra à Jean-Guy ce qui est à lui, et il attendra la suite des événements. Il est à parier que ceux-ci seront nombreux.

CHAPITRE PREMIER

Une famille éprouvée

Jean-Guy ouvre les yeux peu après le lever du soleil, comme par réflexe. Il se permet de dormir un peu plus longtemps la fin de semaine, mais du lundi au vendredi il est debout tôt, selon la volonté de son système qui le réveille à la même heure depuis des années. Bien que ce matin soit un mardi, il ne travaille pas. Il ne travaillera pas demain non plus ni pour le restant de ses jours. Des «vacances» peu heureuses lui sont imposées, un congé qui lui donne le sentiment d'être déchu et inutile plutôt que reposé et allègre.

C'est le comble : après trente-quatre ans de loyaux services pour la *United Bedding Company*, son poste n'existe plus. Ils sont des centaines comme lui : mobilisés par les exigences du syndicat des travailleurs auxquelles l'entreprise de fabrication de matelas ne pouvait faire face, les propriétaires ont décidé de mettre la clé dans la porte. Pas de prime de départ pour les employés, pas même de fond de retraite. Seule la rue les attend tous.

Une enfance dans l'est de Montréal

Le père de Jean-Guy, un peintre en bâtiments au Palais de Justice de Montréal, est décédé alors qu'il n'avait que huit ans. Ce travailleur acharné a laissé derrière lui deux garçons et trois filles, et son départ précipité annonçait des temps difficiles pour la mère de famille, maintenant veuve et sans travail avec six bouches à nourrir.

Par contre, il n'est pas complètement impossible pour une femme de se dénicher un emploi dans les années quarante. Avec la guerre est venue une prospérité relative. Ainsi, la mère de Jean-Guy se trouve du travail dans une manufacture sans nom et sans visage pour payer les douze dollars que lui coûte le loyer chaque mois et pour subvenir aux besoins de ses enfants, à qui elle se donne sans compter. De plus, Janine, la sœur de Jean-Guy, a été embauchée comme tisseuse dans une autre entreprise, et elle contribue à la caisse familiale en y versant son salaire au complet.

Le fait qu'elles aient un travail ne signifie nullement une vie prospère et la mère de Jean-Guy semble toujours avoir de la misère à joindre les deux bouts. À cette époque, bien que les femmes aient acquis le droit de vote, elles n'ont toujours pas droit à l'équité salariale. Les paies de madame Lavigueur et de sa fille sont maigres et les repas qu'elles réussissent à agencer avec le peu de provisions que contient le garde-manger sont malheureusement peu variés et composés principalement de pommes de terre. Les enfants ne s'en plaignent pas; d'ailleurs, la plupart des familles du quartier où ils habitent n'ont souvent pas grand-chose à se mettre sous la dent.

Heureusement, la mère de Jean-Guy reçoit de l'aide d'un autre de ses fils, qui lui est parti combattre au front. Marcel, le frère aîné de Jean-Guy, envoie toutes ses paies à sa mère, et celles-ci sont les bienvenues en cette période de rationnement. Lorsqu'elle ouvre les lettres de son «brave soldat», la mère de Jean-Guy est toujours émue aux larmes, car elle craint d'apprendre de mauvaises nouvelles. Sa mère n'est d'ailleurs pas la seule à se faire du mauvais sang pour un être cher puisque bien d'autres garçons du quartier ont aussi été conscrits, mais elle demeure confiante que son fils lui reviendra une fois le conflit terminé. En attendant, il n'y a que l'espoir et l'entraide qui puissent lui venir en aide.

La mère de Jean-Guy est accablée par les soucis financiers et par l'inquiétude que lui cause sa marmaille. Avec les longues heures qu'elle cumule à la manufacture, la pauvre femme n'a guère le temps de s'investir dans l'éducation de ses enfants. Courbatue et épuisée, elle entre chez elle après sa journée de travail et tente de veiller autant que possible aux tâches ménagères.

Comme tous ses frères et sœurs, Jean-Guy a abandonné l'école en très bas âge. Le jeune garçon préfère passer ses journées à regarder passer les trains le long du carré Bellerive et à fumer des bouts de corde à linge avec ses camarades, à défaut d'avoir les moyens de se procurer de véritables cigarettes. Il passe ainsi les années qui suivent le décès de son père à faire les pires gamineries imaginables, sans se donner la peine d'apprendre à lire, écrire ou compter, jusqu'à ce que sa mère exige de lui qu'il se trouve du travail. Selon les mœurs du temps, un enfant de quinze ans n'est pas trop jeune pour se prendre en main, et même Jean-Guy a hâte de faire ses preuves et de montrer à sa mère qu'il est désormais capable de s'assumer.

C'est ainsi qu'on l'embauche à la *United Bedding Company*, à l'angle des rues Peel et Wellington. Son rôle premier est de faire fonctionner la *pick-teal*, un engin qui tord des fils de fer pour en faire des ressorts à matelas, et il le remplit admirablement dès ses premiers jours en poste. Jean-Guy se révèle un brillant opérateur pour toutes sortes de machines; d'ailleurs, on fait appel à lui pour divers menus travaux dans l'usine. Mais, tôt ou tard, il doit toujours retourner derrière «sa» *pick-teal*. Les dix-neuf sous de l'heure que lui accorde la famille Miller, propriétaire de l'usine, lui conviennent parfaitement; il doit toutefois donner, comme ses frères et sœurs, son salaire au grand complet à sa mère, chez qui il habitera, au 2509, rue Logan, jusqu'à l'âge de vingt-huit ans.

Ils sont nombreux à travailler au même endroit dans son quartier. Le «Faubourg à M'lasse», baptisé ainsi vers 1880, à l'époque où l'on déchargeait sur les quais avoisinants des barils de mélasse à l'arôme sucrée, est riche en travailleurs vaillants ainsi qu'en main-d'œuvre à bon marché. Chaque matin, les hommes du secteur s'enfilent un café en vitesse, empoignent leur boîte à lunch en fer blanc et vont gagner le pain de leur famille.

Jean-Guy travaille à la *United Bedding Company* pendant treize ans avant de rencontrer Micheline Daudelin. La jeune femme de dix-sept ans vient d'une famille tout aussi modeste que la sienne et qui comporte sept garçons et deux filles. Elle habite depuis toujours à deux pas de l'adresse des Lavigueur, au 2485, rue Logan. Son père, qui a longtemps gagné sa vie en vendant de l'huile à chauffage un peu partout dans la métropole, travaille maintenant à l'Aqueduc de Montréal. Monsieur Daudelin n'a d'autre ambition pour sa fille que celle de trouver un «bon parti», un homme aguerri qui saura prendre soin d'elle tel qu'il l'a lui-même fait tout au long de son enfance, et avec qui elle fondera sa propre famille.

La douceur de Micheline, son regard éclatant et sa voix mélodieuse unissent leurs forces pour charmer cet aimable voisin, qui devient aussitôt son courtisan. Le fait que Jean-Guy soit son aîné de plusieurs années ne la dissuade en rien. Il la fréquente un peu, tombe éperdument amoureux, puis lui fait la proposition la plus honnête et touchante dont il est capable : «J'ai pas grand-chose à t'offrir, mais tu peux avoir ma paie au grand complet, tout mon amour et ma fidélité si t'es prête à m'épouser.»

Le soupirant n'est pas exigeant. Tout ce qu'il demande c'est d'avoir droit à sa «caisse de 24» chaque semaine, à quelques dollars pour ses dépenses personnelles et à une femme qui saura l'aimer et lui donner trois ou quatre enfants. Le marché est bientôt conclu : Micheline et Jean-Guy convolent en justes noces le 27 juin 1963 et emménagent au 2486 de la rue Logan, tout près de l'endroit où Jean-Guy est né et a grandi.

Les deuils successifs

Ils ne seront jamais riches, mais ils ne manqueront jamais du nécessaire. Le 3 septembre 1964, Micheline donne naissance à une première fille. Tout au long des courtes années que durera sa vie, Manon aura droit à l'amour indéfectible de ses parents, qui n'auront de pensées que pour elle. Une malédiction guette pourtant la jeune famille à l'horizon : l'enfant souffre d'une déformation au cœur – un cœur de bœuf (comme on dit à l'époque) qui est en réalité un cœur double –, une anomalie pour laquelle il n'existe encore aucune solution à l'aube des années soixante-dix. Manon a tout juste trois ans lorsqu'elle éprouve une complication supplémentaire qui l'emporte. Même si on les avait avertis qu'ils perdraient leur petite poupée en très bas âge, Jean-Guy et Micheline sont dévastés.

Le drame qu'ils vivent est pénible, mais les jeunes mariés ne renoncent pas pour autant à leur rêve d'une famille grande et unie. Heureusement que Sylvie, leur deuxième fille, jouit d'une excellente santé. Tout comme sa sœur aînée avant elle, Sylvie est extrêmement affectueuse et tout le voisinage en raffole. Bien sûr, Sylvie ne pourra jamais remplacer Manon, mais sa présence parmi eux réconforte Micheline et Jean-Guy de leur perte récente. En 1965, le couple Lavigueur emménage dans un autre logement, toujours situé sur la rue Logan, et repart à neuf. Peu après la mort de Manon, Micheline donne naissance à un premier garçon, Yve, qui se porte bien lui aussi. Louise se joint à la famille en 1969, Michel en 1971, et Nancy en 1973. Jean-Guy et Micheline se voient alors dans l'obligation de trouver un endroit plus spacieux que le 2309 de la rue Logan. Ils devront se serrer un peu la ceinture car, si leur famille grossit rapidement, le salaire de Jean-Guy, lui, n'augmente pas au même rythme. La famille déménage donc vers un logement plus grand alors que Micheline est enceinte de son deuxième garçon. Dans ce nouvel immeuble, qui est loin d'être un palais, chacun trouve son coin – un lit, un bout de garde-robe et quelques tiroirs – qu'il adopte et lui fait sentir qu'il a bien sa place au sein du foyer. Malgré tout, l'appartement des Lavigueur est un peu petit, surtout lorsque les cinq enfants décident d'y faire une partie de cachette ou lorsque les nombreux amis et cousins sont en visite.

Les années passent avec sérénité. Le petit train-train quotidien prend le dessus, et la famille s'épanouit. Les

Lavigueur sont bien connus dans leur quartier. Les commères qui veillent à leur fenêtre sont capables d'identifier les garçons et les filles de toutes les rues adjacentes, et elles se font un devoir d'intervenir si un enfant mijote un mauvais coup ou se retrouve dans le pétrin. L'entraide et le «bon voisinage» sont de mise sur les rues Dufresne, Provençale, Logan et les autres, mais les potins et les indiscrétions sont aussi choses courantes. «Tout se sait» dans le Faubourg à M'lasse; aucune calomnie ne passe sous silence, aucun secret ne survit à sa première fuite.

Des malheurs tels que la mort de leur premier-né ne sont pas uniques à la famille Lavigueur. Des amis ont pleuré quand même cette perte douloureuse et ont espéré qu'un avenir plus heureux soit réservé aux autres enfants. Des prières n'auront malheureusement pas suffi.

Le 24 avril 1977, on célèbre la première communion de Louise. Oncles, tantes, cousins et cousines sont invités à se joindre à la famille immédiate pour un après-midi de plaisir. La fête cède pourtant bientôt la place au drame.

En apercevant sa sœur, belle comme elle ne l'a jamais vue, vêtue d'une robe blanche digne d'un conte de fée et coiffée comme une princesse, la petite Nancy se sent étouffer d'envie. Elle éclate soudain en larmes et sanglote pendant de longues minutes. Tous étant tracassés par les derniers préparatifs, personne ne songe à consoler la cadette. Son oncle, qu'elle connaît sous le nom de «mon oncle Souris», la prend finalement dans ses bras pour l'apaiser. Nancy répond habituellement bien aux cajoleries de cet oncle qui est toujours d'un tempérament câlin et affectueux avec les enfants. Cette fois, rien n'y fait. Alors que la cérémonie est sur le point de débuter, certains commencent à s'inquiéter des pleurs persistants et presque convulsifs de la fillette.

Sa mère essaie de la réconforter à son tour, et constate que les lèvres de Nancy ont pris une teinte violacée malsaine. L'enfant semble mal en point : il faut l'emmener à l'hôpital sans perdre une minute. Les ambulanciers arrivent sur place en vitesse. Dès qu'ils voient la mine de la fillette, ils s'empressent de la placer sur une civière et de la faire monter dans leur véhicule d'urgence.

Nancy n'a jamais été portée à aller vers son père. Lui et sa femme blaguent souvent que c'est «sa grosse voix de petit homme» qui effraie leur enfant. Seulement, dans le chaos du secours qu'on essaie de lui apporter, elle pleure maintenant pour son «papa». Jean-Guy voudrait bien la prendre dans ses bras, mais il n'ose intervenir dans le travail des secouristes. Ceux-ci demandent aux parents de les suivre; Micheline ira avec son beau-frère Marcel, tandis que Jean-Guy reste à la maison pour veiller sur les autres enfants.

Nancy cesse de gémir alors que l'ambulance démarre à toute allure. Micheline serre bien fort la main de Marcel qui, derrière le volant de sa voiture, se sent bien maladroit pour la consoler.

Pendant le court trajet entre leur maison et l'hôpital Saint-Luc, les pensées de Micheline se tournent un moment vers son premier enfant, cette fille qu'elle a perdue il y a bientôt dix ans, au début de son mariage. Elle songe à Nancy qui, à trois ans, a exactement le même âge que Manon lorsque son cœur l'a emportée. Toutes ses certitudes s'écroulent et de vieux démons refont surface. De son côté, Jean-Guy s'accuse intérieurement de négligence, se demandant même s'il est possible qu'il ait failli dans ses devoirs en tant que parent. N'était-ce pas sa responsabilité de s'assurer qu'aucun autre enfant ne souffrirait de problèmes au cœur, suite au décès de Manon ?

Une fois arrivés à l'aile d'urgence, un médecin examine l'enfant succinctement, puis ordonne aux ambulanciers de foncer vers l'hôpital Sainte-Justine, où l'on est mieux adapté pour intervenir dans ce cas spécifique. Il faut faire vite : le cœur de la petite est sur le point de céder, et chaque minute compte.

Micheline et son beau-frère reprennent aussitôt la route. Alors que Marcel fait son possible pour ne pas perdre de vue l'ambulance qui roule à toute vitesse, sa passagère doit assister à l'insupportable spectacle de sa fille se faisant administrer des massages cardiaques, qu'elle aperçoit par les fenêtres de la portière arrière.

Lorsque le véhicule d'urgence s'arrête à Sainte-Justine, les secouristes ont cessé de s'acharner sur la poitrine de Nancy. L'un d'eux s'approche lentement de Micheline, paralysée d'inquiétude, mais il n'ose pas la regarder dans les yeux. Il hoche simplement la tête. Son collègue intervient enfin : «Je suis désolé, madame. Nous n'avons pas pu la sauver.» Marcel la prend par les épaules, mais ne peut l'empêcher de s'écrouler sous le poids d'une douleur indescriptible qui jamais ne s'effacera complètement.

Lorsqu'il entend le bruit de la voiture de son frère, Jean-Guy sort en vitesse, impatient d'être rassuré sur l'état de sa fille. Micheline a la voix étouffée de sanglots et est incapable de lui apprendre la terrible nouvelle. Alors qu'il la serre contre sa poitrine, son mari comprend ce qui vient de se produire. Marcel les laisse seuls, ne pouvant rien faire de plus pour les aider. Tous les deux rentrent à la maison, abattus, pour annoncer à leurs enfants le décès de leur sœur. Jean-Guy les embrasse tour à tour, essuyant des larmes chaudes d'une tristesse profonde. Louise se laisse bercer par son père, qui regrette avec compassion que ce malheur se soit produit en un jour aussi important pour une autre de ses filles qu'il aime infiniment.

Dans la soirée, il sort dans le jardin, inconsolable, un verre de bière à la main. Yve le suit discrètement, troublé de voir pour la première fois son père pleurer. Jean-Guy s'arrête au pied du mur de ciment qui se trouve tout près de son appartement, et choisi cet endroit pour invectiver le bon Dieu : «Mais qu'est-ce que j't'ai fait, moé ? J'suis un bon père, un bon mari pis un bon travailleur. Lâche-moé, veux-tu !»

Imprudent, l'enfant se fait entendre. Jean-Guy se retourne et lui ordonne sèchement de rentrer à la maison et de le laisser en paix. Yve s'éloigne en vitesse, mais se ravise aussitôt. Le désolant tableau de son père abattu l'incite à demeurer sur place. Il le voit soudain étirer le bras derrière la tête et envoyer de toutes ses forces son verre contre le mur de ciment. Des éclats de vitre volent de tous côtés, aux cris de Jean-Guy qui n'a pas terminé de régler ses comptes : «Laisse ma famille tranquille un peu ! Arrête de m'prendre c'que j'aime le plus au monde ! Si tu veux t'acharner sur moé, viens me chercher, *moé* ! J'suis capable de prendre toute la marde que tu voudrais m'envoyer, mais lâche mes enfants !»

Sa première fille est morte il y a dix ans et, cette fois, il perd sa plus jeune. Jean-Guy craint qu'on lui arrachera l'un après l'autre ses filles et ses fils; il se demande d'ailleurs s'il sera capable de survivre à l'enterrement d'un autre membre de sa famille. Il est pourtant inutile de s'épouvanter avec des malheurs qui l'attendent *peut-être* à l'horizon. Pour le moment, sa femme et quatre de ses enfants comptent sur lui pour surmonter cette lourde épreuve et les diriger vers des jours plus heureux.

La vie en famille

Les soirs de semaine, les enfants Lavigueur doivent se mettre au lit tôt. Leur mère insiste pour qu'ils enfilent leurs pyjamas à 19 h 30, hiver comme été, et qu'ils éteignent leur lumière avant 20 h. Yve et Louise protestent toujours un peu, mais leurs arguments obtiennent rarement les résultats escomptés. Micheline et Jean-Guy se réservent à eux-mêmes leurs soirées. Que ce soit pour profiter un peu l'un de l'autre ou encore pour s'affairer à des tâches ménagères qu'ils n'ont pas eu la chance de compléter pendant la journée, le couple Lavigueur insiste sur ce temps précieux au cours duquel ils peuvent se retrouver enfin seuls.

À la mort de Manon, Sylvie devint l'aînée de la famille. Cela ne signifiait pas seulement qu'elle était la plus âgée : dorénavant, c'est sur elle que l'on comptait pour veiller sur ses frères et sœur, et c'est vers elle que ceux-ci se tournaient lorsqu'ils cherchaient un modèle à émuler. Naturellement, c'est elle qui fréquente l'école la première, qui monte à vélo avant les autres et qui fait circuler le nom des Lavigueur parmi les bandes de jeunes amis du faubourg. De nature calme et sage, la fillette passe la meilleure partie de son temps à jouer à la poupée ou à sauter à la corde avec ses cousines et ses camarades de classe. Dès ses premiers jours à la petite école, elle se révèle une élève modèle et une jeune fille responsable en qui ses parents ont une confiance presque aveugle.

Yve comprend tôt dans sa vie que, s'il entend accéder à ce que son cœur désire, il lui faut travailler et gagner des sous. Son père lui a toujours servi d'exemple en ce sens : chaque matin, le garçon le voit partir pour le boulot sans jamais l'entendre se plaindre. Ainsi, Jean-Guy a inspiré son fils dans sa première recherche d'emploi qui, à douze ans, lui a valu un poste de livreur dans un dépanneur, chez «Lajoie». Lorsqu'il reçoit sa première paie, Yve est fier d'imiter son père : il remet tout son argent à sa mère. Celle-ci refuse d'abord : «C't'à toi, c't'argent là. Tu l'as gagné, tu peux en faire c'que tu veux ! On peut même la placer dans un compte en banque pour quand tu seras plus vieux…» Le jeune homme insiste, affirmant que ce qu'il veut réellement c'est de contribuer à la caisse familiale. «Tu peux faire pour moi c'que tu fais pour papa : j'va me contenter de l'argent de poche que tu vas me donner chaque semaine !» Son tribut est loin d'être négligeable. Le salaire hebdomadaire qu'il touche, ajouté à ses pourboires plus ou moins généreux selon la période du mois, peut atteindre jusqu'à deux cents dollars.

Jusqu'à l'âge de dix-sept ans, Yve travaillera dans *tous* les dépanneurs du quadrilatère délimité par les rues De Lorimier, Frontenac, Ontario et Notre-Dame. Chaque fois qu'il change d'employeur, ses parents le questionnent sur les raisons qui motivent son choix. Les réponses varient : «On m'offre cinquante *cennes* de plus chez Hébert», «Le *boss* est plus flexible chez Grimard», «J'peux avoir des heures plus intéressantes chez Rolande et Robert». Sa réputation de travailleur vaillant le précède toujours d'un emploi à l'autre, et jamais on ne regrette son

Leur histoire commence ici, lorsque le mariage entre Jean-Guy Lavigueur et Micheline Daudelin est célébré le 27 juin 1963. Tous les espoirs sont permis pour le jeune couple, qui emménagera sous peu au 2486, rue Logan, un logement modeste situé dans le Faubourg à M'lasse.

A la douce mémoire de

Manon

fille de
Jean-Guy Lavigueur
et de Micheline Daudelin
décédée le 7 septembre 1968
à l'âge de 3 ans et 4 mois.

C'est un don de Dieu de r
jeune et sans tache. La rai
nous le dit pas, mais la F
le persuade.

Elle était le bonheur de
son, et elle en restera
Gardien.
Cher petit Ange, près
prie pour ceux que tu a
sur la terre.

Tout ce que je vous de
parents et amis, c'est de vo
venir de moi devant l'au
Seigneur.
O mes amis, dites pour m
O bon Jésus, donnez-lui le r
éternel.

(300 jours d'ind.)

MAISON H. ROY LTÉE. 1583 ST-HUBERT, MTL

Leurs premières années de vie commune sont toutefois assombries par le départ précipité de deux de leurs enfants. Manon, leur première fille, a une malformation au cœur – un cœur de bœuf. Sa maladie l'emporte en 1968, alors qu'elle est à peine âgée de 3 ans.

La famille Lavigueur prend néanmoins de l'ampleur. Sylvie, leur deuxième fille, jouit d'une excellente santé et, peu après la mort de Manon, Micheline donne naissance à un premier garçon, Yve, qui se porte bien lui aussi. Louise se joindra à la famille en 1969, Michel en 1971 et Nancy en 1973.

Dans l'ordre habituel: Michel, Yve, Sylvie et Jean-Guy; Nancy et Louise.

En 1977, la mort frappe à nouveau la famille Lavigueur. Cette fois-ci, c'est la petite Nancy, âgée de 3 ans seulement, qui succombe aussi à des problèmes cardiaques. Sa mort sème la consternation parmi ses proches, car on ignorait qu'elle eut également un cœur fragile.

À la douce mémoire de
Nancy
fille
de Jean-Guy Lavigueur
de Micheline Deaudelin
...dée le 24 avril 1977
...l'âge de 3 ans

...on de Dieu de mourir
...tache. La raison ne
...s, mais la Foi nous

...bonheur de la mai-
...en restera l'Ange

...nge, près de Dieu,
...que tu as laissés

...e je vous demande,
...his, c'est de vous sou-
...oi devant l'autel du

...amis, dites pour moi:
...n Jésus, donnez-lui le repos

(300 jours d'ind.)

MAISON H. ROY LTÉE. 1589 ST-HUBERT, MTL

embauche. L'une de ses grandes fiertés est que, au cours des cinq ans qu'il passe au service des dépanneurs du faubourg, pas une fois il ne se fait agresser ou voler. Il n'est pas rare que l'un de ses collègues revienne à son lieu de travail les mains vides et devant expliquer à son patron – qui n'est pas toujours des plus compréhensifs – comment il a perdu l'argent d'un client. Peut-être Yve est-il mieux respecté que les autres livreurs. Peut-être aussi est-il simplement plus *chanceux*.

Louise est, comme sa grande sœur, «une petite fille modèle», du moins jusqu'à l'âge de quinze ans. C'est à cet âge critique qu'elle commence à fréquenter une bande d'amis peu recommandables, dirigée par un voisin dont la réputation n'a rien d'enviable. L'attitude de Louise change totalement du jour au lendemain : elle choisit dorénavant d'ignorer l'autorité parentale, de négliger ses études et de rentrer à la maison quand bon lui semble. Ses frères et sœur essaient plusieurs fois d'intervenir pour la remettre sur le droit chemin, mais rien n'y fait. Sa délinquance s'aggrave de jour en jour, si bien que son père doit bientôt se présenter au poste de police nᵒ 25 pour la mettre en liberté provisoire sous caution… Ses réprimandes sont vaines : Louise ne semble pas regretter le vol à l'étalage d'un blouson de cuir dans le centre-ville. En fait, ce que Louise n'avoue pas c'est qu'elle est seulement un peu secouée de s'être fait *prendre*, d'autant plus que le manteau convoité a repris le chemin du magasin.

Même si elle devient aux yeux des autres le «mouton noir» de la famille, Louise jouira toujours d'un amour inconditionnel de la part de ses proches, qui n'hésiteront jamais à lui venir en aide en situation de crise. L'adolescente insubordonnée donnera beaucoup de fil à retordre à ses parents, ses professeurs et toutes les autres figures d'autorité qui essayeront de lui barrer la route de la décadence. On la blâmera pour son peu de discipline, de sérieux et de respect d'autrui, mais jamais on ne l'accusera de manquer de fougue et de passion. C'est d'ailleurs parmi ses défauts, que l'on souligne peut-être trop souvent, qu'il est justement possible de déceler ses qualités authentiques.

Sans avoir une réputation de voyou dans son quartier, Michel est bien moins circonspect que l'aînée de la famille. Dès cinq ans, «Ti-*Prout*», comme on l'appelle dans la maisonnée, connaît tous les résidents des rues avoisinantes, toutes les meilleures cachettes du secteur et devient maître au chapitre des «coups pendables». Pas plus bagarreur qu'un autre, ce jeune gavroche des temps modernes s'intègre parfaitement dans les cliques d'amis et est reconnu, pareillement à Yve avant lui, comme un bon vivant avec qui l'on ne s'ennuie jamais.

Michel essaie continuellement de suivre les pas de son grand frère, qu'il estime plus que quiconque au monde. Yve l'initie d'abord au hockey, avec qui il joue dans les ruelles contre les enfants des familles Desjardins et Parent. Plus tard, son mentor l'aidera à se tailler une place à son tour dans le réseau des dépanneurs du faubourg, où il travaillera pendant toute son adolescence.

Jean-Guy dépense le moins possible et essaie d'épargner l'argent de poche que lui remet sa femme. Parfois, quand les temps sont moins difficiles, il réussit même à accumuler des sommes fort intéressantes. Contrairement à la majorité de ses collègues de travail, avec qui règne une bonne entente par ailleurs, Jean-Guy ne fréquente pas la taverne du coin après les heures d'ouvrage. Plutôt que de flamber ses économies en divertissements de toutes sortes, le père de famille reste sagement à la maison, où il se livre à son passe-temps préféré : «faire de la *coppre*».

Certaines usines de métal paient des sommes non négligeables pour du cuivre récupéré de vieux fils électriques. Chaque année, Jean-Guy en amasse une quantité surprenante, et les profits lui permettent d'emmener les enfants pour une courte vacance de camping ou, du moins, de les gâter avec un bon repas à leur restaurant préféré. Si cet exercice de recyclage fait foi de sa débrouillardise et de son sens de l'économie peu commun, Jean-Guy affirme ne le faire que pour le plaisir que cela lui procure. Presque tous les soirs, il empoigne ses pinces, s'installe à sa table de travail et entreprend de dénuder des fils pour accéder au précieux métal. «Certaines personnes travaillent mal : y brûlent le plastique pour arriver à '*coppre*», vous dira-t-il, «mais c'est pas honnête de vendre des fils trop carbonisés.» Sa méthode est moins rapide, mais il s'enorgueillit du travail de qualité qu'il accomplit dans ses moments libres.

De semaine en semaine, il remplit des barils complets de fils de cuivre. Lorsqu'il considère en avoir suffisamment accumulé, il les échange contre les 0,74 $ offert pour chaque livre de *coppre* de qualité. Ses clients ne sont jamais déçus.

Ainsi garde-t-il toujours un œil ouvert pour dénicher ici et là des fils pas trop difficiles à éplucher. De fait, lorsqu'on lui cède un vieux téléviseur ou un aspirateur défectueux, ce n'est pas dans l'espoir qu'il le réparera; chacun sait que Jean-Guy salive à l'idée de toute la *coppre* qu'il pourra rouler à partir des fils électriques qui s'y trouvent !

Micheline dirige toutes les opérations chez les Lavigueur. Repas, loyer, devoirs et leçons, elle veille à tout. Chacun la sait heureuse du rôle de premier plan qu'elle joue dans son ménage, et les enfants ne pourraient désirer une mère plus tendre et attentionnée que la leur. Naturellement, la relation entre elle, ses fils et ses filles n'est pas sans connaître certains conflits. Il arrive fréquemment que Sylvie, Yve et Louise s'opposent à elle, surtout depuis qu'ils sont entrés dans l'adolescence. Ils exigent des heures de sortie plus flexibles, laissent traîner leurs choses un peu partout, hésitent parfois à accomplir leurs tâches ménagères et se permettent même de lever le ton lorsqu'ils ne sont pas d'accord avec ses décisions. Même si elle cède parfois à des requêtes raisonnables, Micheline ne se laisse jamais démonter. De fait, elle parvient à instaurer la bonne entente et le respect au sein du foyer, qui brille toujours d'une joie bien palpable.

Une nouvelle tragédie

Un jour de mai 1983, alors qu'elle revient de la caisse populaire Saint-Vincent-de-Paul, où elle s'est rendue pour régler quelques factures, Micheline ressent une douleur fulgurante au cœur. Elle en perd le souffle, s'arrête net puis laisse tomber son sac à main pour se serrer la poitrine. Bientôt, elle s'effondre.

Pierre Gauthier, un sympathique voisin de la famille Lavigueur, la trouve couchée sur le trottoir, quelques minutes seulement après sa chute. Lorsqu'il accourt, il s'empresse de la questionner : «Micheline ! Que c'est qui se passe ? T'es blessée ?» Elle arrive à peine à répondre, à demi consciente. Gauthier constate qu'elle respire; il fait appeler une ambulance et charge un ami d'aviser sa famille de l'incident. Malgré le fait qu'elle soit indisposée, elle ne songe qu'aux trois cents dollars qu'elle vient de retirer de la caisse : «Tiens, Pierre, va porter cet argent à Souris.» Si elle se méfie des ambulanciers, des infirmières et des médecins qui l'attendent, elle sait bien qu'un voisin, lui, ne songerait pas un seul instant à la voler. L'esprit de clan va au-delà de la famille immédiate : les résidents de son quartier ne cessent de prouver qu'ils sont dignes de la confiance qu'ils s'accordent sans hésitation. On la transporte finalement de toute urgence à l'hôpital Sainte-Jeanne-d'Arc de Montréal, où elle est placée aussitôt dans l'unité des soins intensifs. Gauthier remettra bien les trois cents dollars à Souris, le frère de Micheline, qui lui sera fort reconnaissant de s'être si bien occupé d'elle.

On ne l'avait jamais mise en garde contre des faiblesses au cœur susceptibles de se manifester chez elle. La mort de ses deux filles, qui ont succombé à des complications cardiovasculaires, l'a toujours poussée à se soucier de la santé de son cœur. Pourtant, Micheline, qui s'est toujours considérée comme une femme forte, n'aurait jamais cru que, un jour, à deux pas de son domicile, elle serait frappée par une crise cardiaque.

À l'heure du dîner, les enfants rentrent à la maison et trouvent leur oncle qui prépare à manger, plutôt que leur mère comme à l'habitude. Pendant qu'il beurre des tranches de pain pour en faire des sandwichs, le frère de Micheline leur apprend ce qui vient de se produire et s'empresse de les rassurer. Tous les quatre songent à leurs sœurs, Manon et Nancy, et ne peuvent s'empêcher de craindre le pire. «Maman va-tu mourir ?» demande Louise, éplorée. Même si Jean-Guy a téléphoné plus tôt à son beau-frère pour lui dire que la condition de Micheline se stabilisait, l'oncle n'est sûr de rien. «Votre mère a juste besoin de se reposer un peu.»

Toute la famille est bouleversée par la nouvelle. Chaque soir, Jean-Guy se rend au chevet de son épouse, tantôt avec un ou deux de ses enfants, tantôt avec d'autres membres de sa famille qui insistent pour la voir. «Pas plus de trois visiteurs à 'fois», tranche-t-il, soucieux de faire respecter le conseil du médecin. Peu importe combien leur désir de saluer la convalescente est fort, certains visiteurs doivent faire demi-tour. De plus, jamais son mari ne cède sa place. «Je reste icitte jusqu'à temps qu'on y donne son congé», répète-t-il avec emphase à tous ceux qui s'informent de la santé de Micheline.

Au cours de sa septième nuit d'hospitalisation, le téléphone sonne chez les Lavigueur. On demande à Jean-Guy de se rendre immédiatement auprès de son épouse. Sans poser de questions, il enfile son pantalon en toute vitesse et accourt à l'hôpital Sainte-Jeanne-d'Arc.

Le 5 juin 1983, vers 2 h 30 du matin, Jean-Guy rentre à la maison et réveille ses enfants. Le malheur a encore frappé à la porte des Lavigueur.

Un sombre nuage semble flotter au-dessus des têtes de Sylvie, Yve, Louise et Michel, qui pleurent une nouvelle tragédie. Leur mère a été victime d'une seconde crise cardiaque au cours de la nuit, mais, cette fois, n'y a pas survécu.

❖

À mesure que le soleil se lève, les membres des familles de Micheline et Jean-Guy se présentent, soit pour consoler les autres, soit en quête de consolation. Plusieurs résidents du quartier offrent aussi leurs sympathies à la famille éprouvée, amputée d'un nouveau membre. On prend en pitié ces enfants qui perdent leur mère, une jeune femme de trente-sept ans seulement. On s'inquiète aussi pour Jean-Guy, qui devra maintenant s'occuper seul de ses enfants et prendre toutes les décisions. En effet, Jean-Guy se sent d'abord dépassé par les événements, car Micheline, en bonne mère de famille, veillait à tout. Jean-Guy devra dorénavant se soucier du budget, de ce que les enfants ont le droit de faire ou ne pas faire, de l'entretien général du logement en plus de son travail à la manufacture. Heureusement que les enfants sont tout de même autonomes et qu'ils sont assez vieux pour aider dans la maison.

Le décès de Micheline a pris tout le monde par surprise. Celle-ci ne fumait pas, ne souffrait pas d'obésité, semblait en parfaite forme, et voilà qu'une crise de cœur l'emporte alors qu'elle est encore relativement jeune. Parmi les gens du voisinage qui regrettent le départ précipité de Micheline, il y a madame Jacob, une vieille amie de la famille, qui a été terriblement affectée par sa mort. Madame Jacob a quatre-vingts ans et trouve injuste que le «bon Dieu» ne soit pas venu la chercher, elle.

Madame Jacob habite tout près des Lavigueur, au 1748 de la rue Iberville, tout en haut du marché d'alimentation A. Tougas, depuis aussi longtemps que quiconque peut bien se souvenir. Elle a vu grandir Micheline et connaît bien sa famille. Le mari de madame Jacob, d'abord conducteur de tramway puis, plus tard, l'un des premiers chauffeurs d'autobus de la ville de Montréal, est mort depuis plusieurs années déjà. Madame Jacob est une femme honnête et bienfaisante, et elle est respectée, vénérée même, dans tout le voisinage. Nombreux sont les résidents de son quartier qui veillent sur elle à leur manière et qui se font un point d'honneur de lui rendre service chaque fois que l'occasion se présente.

Yve rend visite à madame Jacob sur une base régulière depuis quelques mois. La vieille dame a perdu beaucoup d'autonomie avec les années. Souffrant d'ostéoporose, tout déplacement s'avère pour elle extrêmement difficile; son dos est d'ailleurs si courbé qu'elle peut difficilement relever la tête. Un ami qui veillait sur elle depuis plusieurs années a dû confier la tâche à quelqu'un d'autre en raison d'une surcharge de travail. Depuis, c'est Yve qui s'occupe de toutes les commissions de madame Jacob, fait son ménage et l'assiste dans différentes tâches, en échange de gâteries ponctuelles et de pourboires, dérisoires pour certains, mais fort généreux pour une dame dans sa situation.

Une franche amitié a tôt fait de naître entre madame Jacob et Yve. Chaque fois qu'il lui rend visite et complète pour elle des menus travaux, il la salue en lui frottant la bosse sur son dos déformé par la maladie. «Frotter la bosse d'un bossu porte chance», a toujours dit son père. Même si la dame rigole lorsque Yve lui caresse le dos, la bonne fortune se fait pingre. Le décès de sa mère lui fait même douter qu'un jour, la chance daignera lui sourire.

Chacun vit le deuil à sa manière. Si Sylvie pleure longuement la mort de celle qui avait l'habitude de la consoler, de l'encourager et de l'écouter, Michel, lui, se renferme un peu sur lui-même et boude la destinée qui lui a volé sa mère.

La rage se joint au désespoir dans le cœur d'Yve. La veille de son décès, c'était à son tour de passer quelques heures au chevet de sa mère. Mais, à la demande de son père, il a dû céder sa place à une tante qui se plaignait de ne pas avoir eu l'occasion de saluer sa «pauvre sœur malade». En se couchant cette nuit-là, le jeune homme s'était demandé s'il n'avait pas fait une grave erreur en demeurant chez lui. Non pas qu'il avait senti que la fin était proche, mais il s'était tout de même surpris à imaginer ce à quoi ressemblerait sa vie, la vie de sa famille aussi, si effectivement sa mère venait à mourir.

Son hospitalisation a duré une semaine et l'absence de Micheline créait un vide dérangeant chez les Lavigueur. Les enfants partageaient un vague sentiment d'inconfort, voire d'angoisse, comme si chacun se trouvait aux prises avec le même rêve inquiétant. Personne ne voulait rater une occasion pour aller lui dire à quel point elle leur manquait et, surtout, combien on l'aimait tendrement.

Le soir où elle est décédée, Yve avait la conviction d'avoir raté une occasion importante d'aller embrasser sa mère. Aujourd'hui encore, il accepte mal qu'il n'aura plus jamais la chance de le faire.

Au début, après la mort de sa femme, Jean-Guy bénéficie de l'aide de voisins compatissants et de différents membres de sa parenté. Jean-Marie Daudelin, frère de la défunte, se donne d'ailleurs corps et âme à ses neveux et nièces affligés. Pour les enfants, Jean-Marie est «mon oncle Souris», selon un sobriquet affectueux inspiré d'un slogan publicitaire en vogue sur les ondes au début des années soixante-dix. Ce surnom amical que lui donnent ses neveux et nièces ainsi que les membres de son entourage immédiat n'a pas du tout l'air de lui déplaire.

Pendant longtemps, Jean-Marie a pris soin de sa vieille mère, qui souffrait de cécité vers la fin de ses jours et n'était donc plus capable de veiller à son propre bien-être. Lui qui n'a ni femme ni enfants reporte ses attentions charitables sur la famille de sa sœur. Il en devient aussitôt un membre à juste titre. De nature généreuse et serviable, le gros homme, solide de quelques centaines de livres, ne connaît aucun ennemi. Débrouillard lorsqu'il s'agit de dénicher une bonne affaire, et ce, malgré le fait qu'il ne sache ni lire ni écrire, l'oncle Souris est capable de surmonter tous les obstacles que la vie s'amuse à mettre sur son chemin. Une liasse de billets dans sa poche, il n'hésite pas à prêter de l'argent à ses proches dans le besoin. Il se soucie par contre avec minutie des dettes contractées et s'assure d'être toujours repayé au sou près. Son avoir est modeste et ses exigences envers la vie sont minimes. Les seuls biens matériels d'une quelconque importance à ses yeux sont ses outils, dont le hangar dans la cour est rempli. L'oncle Souris cherche toujours une occasion où il lui sera permis de se servir de ses précieux instruments. Que ce soit pour réparer la bicyclette d'un de ses neveux, pour décorer l'appartement de la rue Logan au temps de Noël ou encore pour concevoir des planches de jeu de «toc» à partir de matériaux recyclés, il est toujours prêt à user de ses talents de réparateur et d'artisan.

L'oncle Souris est assez costaud et son imposante carrure a fait de lui l'un des meilleurs déménageurs du quartier; personne dans les rues avoisinantes ne songe à changer de logement sans faire appel à ses services. Et dans le Faubourg à M'lasse, les déménagements sont fréquents ! Que ce soit en raison d'une hausse de loyer ou tout simplement parce que l'appartement est mal isolé, trop délabré ou trop petit, plusieurs voisins des Lavigueur déplacent leurs pénates d'un coin de rue à un autre périodiquement.

Dans l'est de la ville, des familles entières logent dans le même immeuble, l'occupant parfois au grand complet. Ceci favorise la cohésion entre les membres du clan et génère une entraide, une coopération, ce dont les Lavigueur ont besoin maintenant plus que jamais. Jean-Marie loge justement au 2510, rue Logan depuis quelques années, au rez-de-chaussée de l'édifice où habite la famille

Lavigueur. La porte des Lavigueur lui est toujours ouverte. Il n'est pas rare qu'on revienne à la maison et qu'on y trouve l'oncle Souris, assis confortablement à la cuisine, fier du quartier de *smoke meat* avec lequel il veut gâter «sa» famille. Le soir, il s'installe devant la télévision avec les autres et, bien souvent, ne rentre chez lui que lorsque les plus jeunes sont tous au lit. Dans les mois suivant le décès de sa sœur, le soutien qu'il offre à son beau-frère et à ses enfants est inestimable. Les Lavigueur lui seront pour toujours reconnaissants.

Le deuil de leur mère est encore frais et les enfants doivent déjà retourner à l'école. L'oncle Souris leur prépare à déjeuner et à dîner, s'assure qu'ils font leurs devoirs et qu'ils ne rentrent pas trop tard à la maison les soirs de semaine, tout en accomplissant différentes tâches ménagères. De son côté, Jean-Guy continue à faire fonctionner sa *pick-teal* pour alimenter son employeur en ressorts. Les journées à la *United Bedding Company* sont longues et toujours bien remplies. Le pauvre homme revient chez lui fourbu chaque soir, mais de savoir que ses enfants ont besoin de lui plus que jamais lui fait accepter chaque lendemain, aussi difficile soit-il.

Puisque Jean-Guy ne sait ni lire ni écrire et qu'il n'a pas non plus beaucoup d'aptitudes pour les chiffres, c'est à Sylvie, sa fille aînée, que revient l'administration du budget familial. Avant sa mort, sa mère lui avait expliqué comment payer les factures, quels montants attribuer à l'épicerie, aux vêtements et aux autres frais courants, comment gérer un compte en banque et quoi faire avec les économies réalisées à la fin de chaque mois. Jean-Guy est soulagé lorsque sa grande fille prend en charge toute cette paperasse et cette comptabilité auxquelles il ne comprend strictement rien. Plus tard, espère-t-il, chacun de ses enfants fera sa part pour entretenir l'appartement et améliorer la qualité de vie du foyer. Déjà, Louise, qui n'a que 13 ans, a entrepris de laver la vaisselle après chaque souper. Ses deux frères essuient et rangent les verres, assiettes et ustensiles en sifflotant. «Ça va leur servir d'apprentissage», songe leur père, essayant de se convaincre que l'absence leur mère ne compromettra pas complètement leur éducation.

Après les deuils, les défaites

Moins de deux ans après le décès de sa femme, une nouvelle affliction attend Jean-Guy Lavigueur : l'usine qui l'emploie ferme ses portes définitivement. Après trente-quatre ans de loyaux services, ce père de famille se voit pour la première fois de sa vie acculé au chômage pour une période indéfinie. La perspective d'être sans emploi lui fait craindre de ne pouvoir subvenir adéquatement aux besoins toujours croissants des quatre adolescents à sa charge. Avec son maigre salaire, il pouvait déjà difficilement accéder à toutes leurs requêtes. Maintenant plus que jamais, Michel, Yve, Louise et Sylvie devront se passer de choses superflues tels qu'un nouveau Walkman ou de souliers de courses trop dispendieux.

Jean-Guy a raison d'être inquiet. À cinquante et un ans, n'ayant à son actif qu'une seule expérience de travail, il voit difficilement comment il pourra se trouver un nouveau boulot. Il y a si longtemps qu'il n'a pas eu à se chercher de l'ouvrage, et la perspective de se présenter en quémandeur auprès d'employeurs potentiels ne lui sourit guère. N'ayant pas d'autres compétences que de faire fonctionner une *pick-teal*, il en vient même à douter qu'il serait capable de travailler ailleurs qu'à la *United Bedding Company*. La situation est bien sombre; Jean-Guy abandonne vite l'idée de se trouver un autre emploi. Les encouragements de ses proches n'arrivent pas non plus à lui faire envisager l'avenir sous un meilleur jour. Il a pris une décision, qu'il croit la bonne : il récoltera les chèques de chômage qui lui sont dus pour une bonne année, après quoi il fera appel à l'aide sociale. Après tout, il a payé ses cotisations pendant de nombreuses années, c'est bien normal que cet argent lui revienne maintenant qu'il en a si cruellement besoin.

CHAPITRE DEUXIÈME

Les surprises du destin

La nuit est tombée depuis quelque temps déjà. Jean-Guy Lavigueur est au volant de sa vieille *Chrysler Newport* et rentre chez lui, amer. Depuis qu'il a perdu sa femme, il y a plus de deux ans, il s'est souvent senti abattu et désespéré, se demandant parfois comment il trouvait la force de continuer à vivre alors que tout son monde s'écroulait. Ses enfants lui étaient alors d'un réel réconfort, car il sentait qu'ils avaient grandement besoin de lui. En effet, si par malheur quelque chose lui arrivait, qui s'occuperait d'eux ? L'oncle Souris peut-être ? Aussi aimant qu'il puisse être, pourrait-il réellement prendre la place du père pour ses Sylvie, Yve, Louise et Michel ? Mais maintenant, ses enfants sont grands, et même s'ils comptent encore sur lui pour certaines choses, il est conscient qu'on n'aura bientôt plus besoin de lui.

Le fardeau est plus difficile à porter que jamais. Le mois dernier, Jean-Guy recevait son dernier chèque de chômage. Il s'est aussitôt inscrit au programme d'aide sociale, qui lui assurera dorénavant une rentrée d'argent minime mais régulière. Difficile de garder le sourire lorsque son orgueil subit une telle raclée.

Quelques semaines auparavant, il s'est assis au salon avec son fils Yve pour causer un peu avec lui. Aucun de ses enfants ne lui reprochait quoi que ce soit, mais Jean-Guy sentait qu'il devait se justifier. Il a tenté d'inculquer à ses fils et à ses filles de bonnes valeurs, les a incités à être vaillants et ponctuels au travail et à toujours mépriser la fainéantise. Accepter la charité du gouvernement alors qu'il est encore capable physiquement de travailler, n'est-ce pas revenir sur ses principes et être un très mauvais exemple pour ses enfants ? Il n'est pourtant pas le premier du quartier à devoir recourir à l'aide sociale. De nombreux travailleurs du Faubourg ont aussi perdu leur emploi et n'ont pas réussi à se faire réembaucher, faute d'instruction ou de compétences adéquates. Les usines pour lesquelles ces gens travaillaient autrefois ferment leurs portes ou renouvellent leur équipement sans songer à leurs employés. Cette main-d'œuvre qualifiée se retrouve soudainement dépassée par les nouvelles technologies, faute de programmes adéquats pour tenir les employés à jour. Ainsi, ces travailleurs pourtant vaillants tombent à la charge de l'État. Donc, même si Jean-Guy ne fait pas encore partie de ceux que plusieurs appellent «les B.S.», il sent qu'il doit s'expliquer.

Yve n'a jamais cessé de respecter son père. La confession de ce dernier est plus difficile à supporter que d'apprendre que de nouveaux jours difficiles s'annoncent : «T'sais, j'ai travaillé pendant trente-quatre ans à la sueur de mon front pour faire vivre ma famille. Mais le bon Dieu est venu chercher ce que j'avais de plus précieux : ma femme pis deux de mes enfants. C'était pas assez : j'ai perdu ma *job*. J'ai jamais eu un mot à dire là-dedans, mais ça, c'est la vie. Bientôt, j'vas vivre des chèques du gouvernement, pis tu peux pas savoir à quel point ça m'tue. Imagine, moé, Jean-Guy Lavigueur, bon père, bon travailleur, m'abaisser jusqu'à tomber sur le B.S. !»

Le premier chèque est attendu pour le 1er avril 1986. Même si cet argent représente une nécessité de premier ordre, Jean-Guy n'est pas pressé de le recevoir.

Le portefeuille perdu

Quelques jours plus tard, Jean-Guy stationne sa voiture à quelques pas de chez lui, soupire profondément, puis sort de son véhicule. Il verrouille la portière comme par automatisme, range ses clés dans sa poche et s'achemine vers son logement. Alors qu'il sortait de la voiture, son portefeuille – identité, permis et souvenirs compris – est tombé sans un bruit dans le caniveau et Jean-Guy ne s'en est pas aperçu. Le portefeuille restera de longues heures sur la chaussée, encore froide d'un hiver qui n'a pas dit son dernier mot.

Une fois chez lui, Jean-Guy se verse un verre. Plusieurs ennuis le hantent : l'argent qui se fait rare, l'avenir incertain de ses enfants, les conflits fréquents qu'il a avec sa fille Louise. L'an dernier, Louise faisait une fugue. Le comportement de sa deuxième fille laissait à désirer depuis la mort de sa mère, mais au mois de juin 1985, la situation empira. Ne voulant plus se soumettre à l'autorité de son père, qu'elle jugeait trop sévère, Louise disparaît quelques jours avec une amie, ce qui fait vivre à leurs familles des moments cauchemardesques. Une photo de Louise est publiée dans *La Presse* et le *Journal de Montréal*, accompagnée d'un avis de recherche, à l'initiative de la police de la Communauté urbaine de Montréal, chargée de la ramener saine et sauve à son père. C'est de son plein gré qu'elle revient finalement à la maison, mais Jean-Guy se sentait obligé d'intervenir, et pas seulement avec quelque nouvelle punition. Une travailleuse sociale se penche depuis ce temps sur le cas de Louise. L'une de ses premières interventions fut d'ailleurs de lui faire signer une entente formelle selon laquelle la jeune fille promettait de rentrer chez elle chaque soir avant 11 h 30. Louise éprouve de la difficulté à se plier à l'autorité, mais elle devra bien s'y faire. Même si cela n'épargne pas à Jean-Guy tous les soucis que lui cause son enfant, il espère qu'il s'agit là d'un premier pas vers le droit chemin.

Comme il ne travaille plus et qu'il sort très rarement pour faire des commissions, quelques jours se succèdent avant que Jean-Guy constate qu'il lui manque son portefeuille. La nuit passe, le jour suivant aussi. Rien n'a changé dans la vie de cet homme qui, avec chaque nouveau coucher de soleil, trouve de moins en moins de raisons de redresser fièrement les épaules. L'heure du souper arrive; la famille doit se mettre à table. Soudain, Jean-Guy s'aperçoit qu'il n'a plus son portefeuille. Il court de la chambre au salon, puis à la cuisine et à la salle de bains.

«Y a-tu quelqu'un qui aurait vu mon portefeuille ?» demande-t-il à ses enfants, espérant encore un miracle. Mais personne n'a rien vu. Toutes les recherches dans la maisonnée, tous les efforts pour s'imaginer l'endroit où le père a bien pu le laisser n'aboutissent à rien. Jean-Guy ne peut croire l'avoir perdu, puis songe même pendant un instant se l'être fait voler. Il tente vainement de se souvenir où il s'est servi de son portefeuille la dernière fois, mais, sous l'emprise de la panique, ses souvenirs deviennent flous. Il essaie ensuite de se remémorer ses moindres déplacements depuis la veille, alors qu'il l'avait encore sur lui pendant qu'il était chez une amie, sans plus de succès. «Un malheur n'attend pas l'autre», marmonne-t-il entre ses dents. Il faudra compléter des formulaires pour annuler ses cartes de crédit, s'adresser à différents ministères pour les permis et attendre des semaines, sinon des mois, avant de recevoir ses nouvelles cartes. Mais surtout, c'est à la perte des effets qui ne sont *pas* remplaçables – la carte de décès de sa femme et de ses deux filles, la seule photo de son père – que songe Jean-Guy avec amertume.

Vers la fin de la soirée, Jean-Guy s'effondre dans le fauteuil du salon, à moitié abattu par ce qui lui arrive. Dans ce genre de situation, il sait n'avoir que lui-même à blâmer. Il s'agit là d'un autre coup cuisant à son orgueil, déjà ébranlé par les derniers mois de déceptions successives. L'œil terne, il scrute lentement le salon, ne croyant même plus pouvoir trouver ce qu'il a cherché toute la soirée. Son regard se fixe sur une petite table de métal, se tenant timidement dans un coin de l'appartement. Une vieille radio en simili bois y trône, ainsi qu'une boîte en carton rigide qui lui donne soudain un pincement au cœur. Sous cette boîte se trouvent les fiches de validation des billets de loterie que lui et sa famille se procurent à chaque semaine... mais les billets, eux, sont dans son portefeuille ! La vue de la boîte le dégoûte soudainement plus qu'il ne l'aurait cru possible. C'en est trop ! Qu'il ait perdu son argent, ses cartes ou ses souvenirs, cela passe encore. Tout cela avait bel et bien sa place dans son portefeuille. Mais il n'était pas nécessaire pour Jean-Guy de trimballer sur lui les billets de loterie; s'il les avait laissés sous la boîte avec les fiches, il les aurait toujours. Soudain, hors de lui, il fronce les sourcils, serre les dents et les poings puis hurle sévèrement : «J'veux voir personne toucher à 'boîte pis aux fiches de validation ! C'tu clair ?»

Cette boîte hors du commun qui vient cruellement rappeler à Jean-Guy sa malchance peut nourrir les espoirs et les rêves de la famille Lavigueur, des familles de la rue Logan au complet, voire de toutes les familles du pays, *ad*

En mai 1983, alors qu'elle revient de la caisse populaire, Micheline ressent une douleur au cœur. On la conduit immédiatement à l'hôpital, où elle sucombe à une deuxième crise cardiaque quelques jours plus tard. Son décès prend tout le monde par surprise. Celle-ci ne fumait pas, ne souffrait pas d'obésité, semblait en parfaite forme, et voilà qu'une crise cardiaque l'emporte à l'âge de 37 ans. Elle laisse derrière elle ses quatre enfants, qui ne se remettront pas de sitôt de son départ précipité.

A la douce mémoire de

Micheline Daudelin

épouse

de Jean-Guy Lavi

décédée le 5 ju

à l'âge de

Console-toi, che
mon bonheur ici-b
comme je t'aimais
Mes chers enfa
ne m'oubliez jam
Pourquoi pleur
la mort est la fi
Soumise à la v
vu venir la mo
courage que dor
Qu'il est dou
o bien souffert:
dormir sur la cr
entrer au ciel.
Si vous m'a
communiez souve
O mon Dieu,
soyez le protecteu
Bonne et tendre
phelins, ayez pitié
sur la terre, protég

Maison H. ROY Ltée, 1589

Oncle Souris, qui n'a ni femme ni enfants, habite le premier étage de l'immeuble où résident les Lavigueur, et n'hésite pas à prêter main-forte à la famille de sa sœur lorsque le besoin s'en fait sentir. Il sera notamment d'un grand secours à Jean-Guy après le décès de sa femme, l'aidant à prendre soin des enfants et veillant sur la maisonnée. Membre de la famille à juste titre, oncle Souris participe avec eux aux tirages de la Lotto 6/49.

Le logement du 2508 de la rue Logan héberge la famille Lavigueur jusqu'en 1986. L'immeuble est situé dans le modeste quartier du Faubourg à M'Lasse, dans l'est de la ville. C'est ici qu'ont eu lieu les événements du 31 mars 1986, lorsque William Murphy venait rendre à Jean-Guy Lavigueur son portefeuille.

Dans un dépliant distribué par Loto-Québec où l'on voit apparaître les résultats du tirage du samedi, 29 mars 1986, on aperçoit la combinaison gagnante qui a valu aux Lavigueur un gros lot de 7 650 267,10 $ Il est aussi indiqué que les ventes totales pour ce tirage se chiffraient dans les 22 millions et demi, ce qui ne laisse aucun doute quant aux *véritables* gagnants...

Tirage du SAMEDI 29 MARS 1986

15 22 28 29 42 46 no complé-mentaire **36**

	GAGNANTS	LOTS
6/6	1	7 650 267,10$
5/6 +	12	203 312,20$
5/6	297	2 933,20$
4/6	18 049	92,80$
3/6	345 377	10,00$
Ventes totales:		22 566 705,00$

vitam æternam. Il s'agit d'une invention de Jean-Guy Lavigueur qui, plutôt habile de ses mains, a décidé de mettre à l'épreuve les miracles du destin. Sur des petites boules de bois qu'il a taillées avec ses quelques outils, il a inscrit des chiffres allant de un à quarante-neuf. Après avoir soufflé sur ces innocentes pièces – question de leur insuffler un peu de chance et de magie –, Jean-Guy les a enfermées dans une boîte qu'il a marquée à l'effigie de Loto-Québec. On peut y lire sur un côté «6/36», peint à l'encre de Chine, et sur l'autre, «6/49».

La loterie est presque une religion pour plusieurs. Sur la rue Logan, chaque gagnant d'un prix à la loterie, aussi minime soit-il, a droit à un certain respect de la part des autres. «Ginette a gagné cent vingt-cinq piastres à la Mini la semaine dernière !» soulignent les commères du coin. Tous ceux qui apprennent la nouvelle sont impressionnés, et ils se demandent en leur for intérieur quand viendra donc *leur* jour de chance. Personne ne songe à tout l'argent gaspillé par «Ginette» en billets perdants avant qu'elle ne décroche une somme – dérisoire, si on considère son investissement – qui ne fait que stimuler davantage son ardeur pour le jeu. Il est d'ailleurs à parier que la pauvre Ginette doublera ses mises lors des prochains tirages.

Séductrice et insidieuse, la perspective d'une richesse instantanée fait des ravages au sein du Faubourg à M'lasse, et même les plus pauvres consacrent une bonne part de leurs économies à la loterie. Chaque personne a sa méthode pour choisir les séries de numéros qui, on l'espère, amèneront la fortune. Les voisines d'en face utilisent toujours les mêmes numéros – les dates de naissance de leurs enfants – et elles font valider religieusement leur feuillet de participation avant chaque nouveau tirage. S'il fallait que leur «combine» soit gagnante une semaine au cours de laquelle elles ont oublié d'acheter leur billet ! D'autres personnes préfèrent s'en remettre au hasard le plus pur : plusieurs laissent l'ordinateur de Loto-Québec, la «valideuse», comme on l'appelle, choisir la combinaison. D'autres enfin, tels que les Lavigueur, ont inventé un système qui leur est propre pour décider de leurs numéros.

Ainsi, la merveilleuse petite boîte préparée par Jean-Guy permet au hasard de participer au rêve et à l'espoir. Pareille à un boulier de bingo, quiconque souhaite tenter sa chance à la loterie peut piger dans la boîte et en sortir la demi-douzaine de numéros nécessaires pour remplir un feuillet de participation et acheter un billet. Élémentaire, comme méthode ? Peut-être. Mais c'est précisément de la sorte que Loto-Québec procède pour déterminer les combinaisons gagnantes…

Depuis quelque temps, les prix sont de plus en plus importants : on a déjà décerné un million, puis deux, deux et demi… Ces chiffres prodigieux donnent la fièvre du jeu à de nouveaux participants chaque semaine, ce qui a pour effet de faire grimper toujours plus les montants attribués lors des tirages.

Comme bien des familles du quartier, les Lavigueur se sont laissés entraîner par la passion du jeu. Ils sont eux aussi des mordus de loterie, et leur passion ne cesse de croître. Cela fait trois mois que six des membres de la famille Lavigueur unissent leur chance afin de décrocher un des gros lots offerts par Loto-Québec. Dès les premiers jours de 1986, Jean-Guy, ses deux fils, Michel et Yve, ses deux filles, Sylvie et Louise, ainsi que son beau-frère, Jean-Marie, ont chacun pigé dans la boîte «magique» les chiffres de deux combinaisons, sur chacune desquelles toute la famille parierait un dollar. Douze chances de gagner chaque semaine sur quelques millions se présentaient à eux. Douze raisons d'avoir le droit de rêver, et cela ne leur coûtait que deux dollars chacun sur une base hebdomadaire.

Dès le premier tirage, c'est le père de famille qui est responsable de la collecte des contributions pour les billets. Chaque jour de paie, en même temps que ses enfants lui versent une portion de leur salaire à titre de pension, Jean-Guy tend la main pour ces deux dollars supplémentaires qui aboutiront dans les caisses de Loto-Québec. Jamais il ne manque à son devoir; jamais non plus les participants n'hésitent à remettre leur contribution. Cela est vrai pour tous, hormis Louise qui, pour différentes raisons, s'est récemment retirée du groupe.

Lorsque les six participants ont pigé leurs numéros, chacun remplit aussitôt deux fiches de participation, que l'on complète en noircissant des cases correspondant aux chiffres choisis, et les remet à Jean-Guy. Depuis, un de ses enfants se présente chaque semaine avec les douze dollars que lui confie son père et les douze fiches de la famille au dépanneur A. Hébert pour les faire valider. Lorsque les billets sont achetés, Jean-Guy les récupère et les range dans son portefeuille dans l'attente du prochain tirage.

Pour la première fois depuis une bonne douzaine de semaines, il n'aura pas à se soucier des numéros qui seront pigés par Loto-Québec. Enfin, presque : il a encore en sa possession les fiches de validation. Peut-être que...

Même s'il est peu probable que l'un des billets qu'il a perdus porte le numéro gagnant, une telle possibilité existe toujours. Après tout, pourquoi investir dans les jeux de chance si ce n'est dans l'espoir de toucher le prix ultime ? S'il est permis de rêver lorsqu'on est en possession d'un billet de loterie, Jean-Guy Lavigueur n'est-il pas *obligé* de réfléchir à l'hypothèse qu'il ait perdu le billet gagnant ?

L'idée que l'une des fiches sous la boîte puisse signifier que la famille Lavigueur aurait pu être millionnaire est trop difficile à soutenir. Il faut ignorer le tirage de cette semaine, prévu dans quelques jours, faire comme s'il n'aura pas lieu, et reprendre l'achat des billets la semaine prochaine, comme si rien ne s'était jamais produit.

Le bon samaritain

Un soir cette semaine-là, Yve, Louise et Michel sont seuls à l'appartement. Jean-Guy et sa fille Sylvie sont en visite chez la tante Madeleine, à quelques rues de chez eux. La nuit est froide et opaque, et les trois jeunes Lavigueur décident de se coucher assez tôt. On s'attend à ce que Yve qui, à 18 ans, est le plus vieux de ceux présents, veille sur les deux autres. C'est pourquoi il ouvre l'œil le premier lorsqu'on frappe à la porte.

Il est près de 23 heures. Qui cela peut-il bien être ? Serait-ce un ami qui vient l'inciter à faire la fête jusqu'aux petites heures du matin ? Serait-ce son pauvre père qui, après avoir perdu son portefeuille, a eu le malheur d'égarer ses clés ? Peu importe la nature de ce visiteur nocturne, la prudence est de mise. Les quartiers de l'est de Montréal peuvent parfois être assez rudes, de sorte qu'il devient nécessaire de se méfier de tous les inconnus qui y rodent, peu importe à quel point ils paraissent inoffensifs.

Yve allume la lumière qui éclaire le seuil de la porte. Il entrevoit une silhouette par la fenêtre du salon. Le visiteur n'a rien de rassurant. Il est grand, porte un imperméable noir et un chapeau qui couvre des cheveux longs et sinistres. Ses yeux sont ombragés; tout ce qu'on peut voir de son visage est la généreuse moustache qui ne fait rien pour le rendre sympathique. Yve ne le reconnaît pas.

L'homme sonne à nouveau; la porte s'ouvre enfin. Yve affiche un air sévère, impénétrable, qui signifie nettement que l'étranger n'est pas le bienvenu. «Qu'est-ce que tu veux ?» lui demande-t-il, comme s'il lançait un ordre. L'homme lui répond en anglais, d'une voix basse et rauque. «Que c'est qu'tu fais icitte ?» reprend Yve, qui ne saisit strictement rien de la langue de Shakespeare. L'homme s'explique de plus belle. Ils ne se comprennent pas.

Louise et Michel se sont levés, inquiétés par l'échange stérile qui devient plus animé avec chaque nouvelle parole. Bientôt, leur grand frère est furieux : «Vous avez pas honte de déranger le monde en plein milieu de la nuite ?» lui lance-t-il. L'autre tente une réponse, mais demeure incompris. Dans son rôle de protecteur, Yve se résout à faire fuir le survenant. «Envoye ! Va-t-en !» lui crie-t-il. «Sacre le camp d'icitte, sinon tu vas y goûter !» On sent que l'homme s'inquiète, mais il ne lâche pas prise. Toujours essaie-t-il de se faire entendre, mais il constate bientôt que c'est en vain. Celui qui lui a répondu est maintenant hors de lui, et la situation est sur le point de se gâter sérieusement.

Pour sa part, Yve sent qu'il doit prendre les grands moyens pour se débarrasser de l'intrus. Sous le regard inquiet de son jeune frère, il s'empare soudain d'une batte de base-ball et la brandit en direction de l'inquiétant visiteur. «Tu vas-tu partir, maudit ! Oui ou non ?» hurle-t-il enfin, prêt à frapper. L'homme abandonne dès lors la partie. N'ayant aucune envie de se faire fracasser le crâne, il agrippe brusquement la poignée de la porte et se la claque au nez. «Rien à faire», se dit-il, alors qu'il descend l'escalier, la gorge nouée, le cœur battant à vive allure.

Le lendemain, les trois s'empressent de raconter aux autres la mésaventure de la veille. Personne n'y comprend quoi que ce soit. «Si le rôdeux se permet de revenir, dit Jean-Guy, il va avoir affaire à moi !» Monsieur Lavigueur ne sait pas si bien parler.

Quelques jours plus tard, soit le lundi 31 mars, on sonne à nouveau. Cette fois, Yve, Louise et Michel n'y sont pas. On n'attend pas de visite ce soir-là. Le père et Sylvie se regardent, perplexes. Et si c'était l'inconnu de l'autre soir ? Alors que Sylvie et l'oncle Souris continuent de vaquer à leurs occupations, le père va répondre, songeant à ce qu'il dira s'il s'agit du type qui a effrayé ses enfants plus tôt cette semaine-là. En ouvrant la porte, Jean-Guy reste sur ses gardes. Un homme qu'il ne connaît pas est là, un sourire au coin des lèvres, mais, à en croire la description que lui en a donnée Yve, il ne s'agit pas de celui de l'autre soir.

«Bonjour monsieur», lui dit calmement l'étranger. «Êtes-vous Jean-Guy Lavigueur ?» Il répond par un signe de tête affirmatif. L'autre se retourne et regarde en direction du bas de l'escalier. Jean-Guy y aperçoit l'individu que Yve lui avait décrit. «Ce ne peut être que lui», se dit-il. L'homme qui a sonné risque une autre question : «Avez-vous perdu quelque chose récemment ?» Un temps. Jean-Guy promène son regard entre son interlocuteur et celui qui est resté sagement au rez-de-chaussée. «Mon portefeuille», dit-il enfin, sans expression aucune.

L'inquisition se poursuit : «Monsieur Lavigueur, pouvez-vous me nommer quelque chose qui se trouvait dans votre portefeuille ?» Ses yeux s'écarquillent. Lui rapporterait-on l'objet qu'il cherche depuis des jours ? Dans un élan d'enthousiasme nerveux, Jean-Guy fait le compte de tout ce qui s'y trouvait : telles cartes, tels documents, tel montant d'argent et… deux billets de loterie 6/49 sur lesquelles se trouvent respectivement six combinaisons. L'homme semble satisfait. Il envoie un signe à son ami, qui en déduit que tout est en ordre, puis informe son hôte de l'extraordinaire situation dans laquelle il se trouve : «Monsieur Lavigueur, j'ai le plaisir de vous annoncer que vous êtes l'heureux gagnant du dernier gros lot de la 6/49 !»

CHAPITRE TROISIÈME

Le grand jour

Épris d'un doute considérable, Jean-Guy ne sait s'il doit rire ou pleurer. Toutes sortes de pensées confuses s'emparent de lui. L'étranger qui a trouvé le portefeuille est toujours là, sur la rue, se dandinant timidement. Son traducteur, quant à lui, a disparu sans demander son reste. Jean-Guy n'a aucunement l'intention de laisser décamper son bienfaiteur. «*Come with me* !» lui crie-t-il, à la stupéfaction des autres qui ne l'avaient jamais entendu prononcer ne serait-ce qu'un seul mot en anglais. L'homme gravit dignement les marches jusqu'à Jean-Guy, qui l'accueille avec un large sourire et une tape amicale dans le dos. «Tu vas ben prendre une bière avec nous autres ?» L'autre répond en se présentant : «*Hello. William Murphy. I'm very happy for you.*» On lui sert aussitôt un verre.

Ce monsieur Murphy n'a que le billet de loterie et un coupon confirmant que sa combinaison est la gagnante à rendre aux Lavigueur. Lorsque Jean-Guy s'informe à savoir où se trouve son portefeuille, l'autre lui répond, un peu embarrassé, qu'il la laissé tomber dans une boîte aux lettres, sans expliquer son geste. Même si cela l'embête un peu – Jean-Guy s'inquiète toujours pour les photos irremplaçables qui s'y trouvaient –, il décide qu'il s'en souciera plus tard.

À ce qu'on peut comprendre de son histoire, Murphy est allé faire vérifier le billet une ultime fois au dépanneur A. Hébert, tout juste avant d'arriver chez les Lavigueur. Madame Lajoie, qui opère la valideuse, a eu le souffle coupée lorsque la machine lui a indiqué que le billet qu'elle traitait valait au-delà de sept millions de dollars. Elle a hésité un peu, puis a demandé à l'homme de l'endosser. Murphy s'est exécuté, puis a confessé que le billet gagnant appartenait en fait à un certain Jean-Guy Lavigueur. La dame au comptoir agitait nerveusement les bras alors qu'elle essayait de lui faire comprendre qu'elle connaissait intimement les Lavigueur, qui habitaient d'ailleurs à un coin de rue de là. Murphy le savait bien pour s'être déjà rendu chez eux. C'était d'ailleurs sa prochaine destination.

Jean-Guy pense tout à coup à ses enfants qui sont absents et qui sont concernés par ces événements extraordinaires. Yve est chez un ami, sur la rue Sainte-Catherine. Michel est au dépanneur où il travaille à titre de commis. Leur père s'empresse de les joindre par téléphone, mais ne leur annonce pas aussitôt la nouvelle. «Revenez vite à 'maison, les gars. Ça presse.» Les deux frères emboîtent aussitôt le pas en direction de la rue Logan, se demandant bien ce qui peut les attendre. Dès qu'ils mettent le pied à la maison, on leur apprend, sans les faire languir un seul instant, le miracle qui vient de se produire. La fête est instantanée.

Jean-Guy appelle au dépanneur du quartier, cette fois pour placer une commande. «Une caisse de Molson, s'il vous plaît. Au 2508, rue Logan.» Il sort peu après sur le balcon, sachant que le jeune livreur ne devrait pas tarder. C'est monsieur et madame Gionest qu'il voit arriver cependant, elle envoyant la main, lui les bras chargés de la caisse de bière demandée. Ces derniers sont les propriétaires du dépanneur où a été vendu le billet gagnant; il semble que madame Lajoie n'ait pu se contenir et qu'elle les ait immédiatement avisés que les Lavigueur devenaient millionnaires ! Les Gionest auront droit à une prime des plus intéressantes de la part de Loto-Québec pour avoir fait valider la combinaison heureuse, ce qu'ils tiennent à célébrer avec leurs clients devenus riches.

À présent, pour s'assurer que plus rien de fâcheux n'arrive au billet, tous les participants doivent y signer leur nom à l'endos : Jean-Guy Lavigueur, Sylvie Lavigueur, Yve Lavigueur, Michel Lavigueur, Jean-Marie Daudelin… Murphy, dont le nom apparaît déjà sur le

billet, les laisse aller, fier d'avoir apporté tant de bonheur
à une famille aussi charmante.

On ne tarde pas à soulever la question qui trotte dans
la tête de tous ceux présents, à savoir quelle sera la
récompense que l'on versera à cet étranger que l'on traite
en invité d'honneur. C'est le patriarche qui parle le
premier : «C'te gars-là nous a mis au monde. À c't'heure,
c'est à nous autres de *le* mettre au monde.» Ce que Jean-
Guy entend faire est fort généreux, mais il dit être
incapable de s'imaginer que cela se déroule autrement.
Les autres gagnants ont tous droit de parole, mais
personne ne s'oppose à la proposition du père.

Lorsque Sylvie, qui est la seule à posséder quelques
notions d'anglais, lui explique qu'il aura droit à une part
du gros lot égale à celle des cinq autres, Murphy croit
rêver. Grâce à un geste que tous ceux présents considère
comme étant des plus honnêtes, l'homme qui vient de
changer la vie des Lavigueur se mérite plus de 1,2 million
de dollars. Les festivités reprennent de plus belle.

William Murphy

William Murphy était venu à Montréal quelques
mois auparavant. Natif de Vancouver, il avait connu peu
de succès dans sa vie professionnelle sur la côte pacifique
du Canada et avait décidé de partir vers de nouvelles
contrées. Un poste dans une entreprise se spécialisant en
informatique l'attendait à Montréal, mais cet emploi fut

de courte durée. Dépourvu de tout moyen de subsistance, Murphy s'était longtemps senti comme en rade dans une ville étrangère. Peut-être allait-il retourner un jour en Colombie-Britannique, mais d'ici là, il lui fallait trouver du travail coûte que coûte. Après s'être loué une chambre dans le bas Westmount pour quatre-vingt-dix dollars par mois, on l'avait finalement embauché dans une succursale des épiceries IGA, qui faisait appel à ses services pour distribuer les circulaires hebdomadaires. Ce n'était pas la mer à boire, mais son revenu suffisait à le nourrir et à le loger.

Un matin vers cinq heures, alors que le soleil tardait à se pointer le nez, il trouva un portefeuille en cuir noir sur la rue, dans un modeste quartier qu'on lui avait demandé de desservir. Les intentions de Murphy en approchant le portefeuille étaient, à ce qu'il dit, d'en inspecter le contenu afin d'en découvrir le propriétaire. En l'examinant, il trouva bel et bien des papiers d'identité, mais jugea toutefois qu'il était beaucoup trop tôt, et que frapper à la porte de quelqu'un à une heure pareille, même en vue d'une action charitable, n'était pas une si bonne idée. Le déposer simplement dans la boîte aux lettres à l'adresse indiquée sur la plupart des cartes qu'il contenait lui semblait être une décision peu prudente. Il entendait donc revenir plus tard, après sa journée de travail, et rendre le portefeuille en mains propres à Jean-Guy Lavigueur. Murphy avait eu plusieurs occupations ce jour-là, et il ne put se rendre à l'adresse trouvée dans le portefeuille qu'à une heure assez tardive. Un jeune homme lui avait ouvert la porte mais ne comprenait rien à ce qu'il essayait de lui dire. «*I'm looking for Mr Lavigueur*», lui disait-il. «*I think I have his wallet !*» Yve Lavigueur l'avait chassé, menacé rageusement, si bien qu'il avait dû se résoudre à détaler.

Ce n'est que quelques jours plus tard que Murphy avait appris la valeur incommensurable de ce qu'il tenait entre ses mains. Sachant que toute la ville parlait du fameux gros lot que Loto-Québec allait attribuer cette semaine-là, sachant que l'on avait tiré les numéros gagnants la veille, sachant aussi que le portefeuille qu'il avait trouvé contenait un certain nombre de billets de Lotto 6/49, Murphy mit la main sur la *Gazette* du dimanche. Toujours d'après ce qu'il raconte, ce fut d'abord par simple curiosité que Murphy avait entrepris de vérifier ces billets qui ne lui appartenaient qu'à titre officieux. Puis, la curiosité se transforma en véritable stupéfaction. Ce soir-là, seul dans son appartement, Murphy devait se rendre à l'évidence : il était en possession d'un billet qui valait au-delà de sept millions de dollars. Qu'allait-il, que *devait*-il en faire ?

Murphy avait d'abord jeté le portefeuille dans une boîte aux lettres, espérant que le service des postes fasse le nécessaire pour le rendre à son propriétaire. Il ne pouvait toutefois pas y laisser le billet gagnant, celui-ci n'étant même pas endossé. Qu'arriverait-il si quelqu'un d'autre que lui se rendait compte de la fortune que valait ce bout de papier ? «Je vais le garder avec moi, au cas où…», s'était-il dit, encore incertain de ce qu'il allait en faire par la suite.

Il avait tourné en rond toute la journée, ne pouvant rassembler ses esprits suffisamment pour prendre une décision de cette taille. Il n'avait pas pu dormir non plus. Toutes ses réflexions menaient à la même conclusion : il fallait absolument remettre le billet gagnant à celui qui l'avait fait valider. Et s'il l'endossait lui-même ? Qu'adviendrait-il s'il réclamait le gros lot en ne mentionnant point la manière dont il avait mis la main sur le billet ? Lui attribuerait-on la fortune colossale rattachée à la combinaison gagnante, ou le démasquerait-on comme un vulgaire fraudeur ? Et qu'en serait-il de cette famille de la rue Logan, ces pauvres gens qui étaient en droit d'accéder à cette richesse qui, légitimement, était la leur ?

C'est à croire qu'une force inconnue mettait à l'épreuve sa bonne foi. S'il est vrai que Murphy s'attendait à quelque gratification de la part des véritables gagnants, rien ne la lui assurait. Qu'à cela ne tienne ! «L'honnêteté est toujours récompensée», essaya-t-il de se convaincre. Le lendemain, le livreur de circulaires confia son secret à une connaissance capable de s'exprimer aussi bien en français qu'en anglais, et lui demanda de l'accompagner chez les Lavigueur. Ébloui par un scénario digne d'un film auquel personne ne croirait, l'ami accepta sans hésitation aucune de l'épauler dans cet acte si peu commun. Ce lundi-là, ils allaient rencontrer une famille qui ne se doutait en rien de la prospérité qui l'attendait.

Jean-Guy Lavigueur a compris le premier ce à quoi Murphy avait renoncé. Sans le billet, lui et sa famille n'auraient jamais vu un seul sou du gros lot. Cet homme qui a mis la main sur le billet gagnant aurait pu se débrouiller pour encaisser la somme ou, pire encore, se débarrasser du portefeuille et de son contenu sans que personne n'accède au grand prix. Une simple récompense ne pouvait suffire. S'il est vrai qu'il n'avait pas investi sa part dans l'achat du billet, cet étranger faisait tout de même preuve d'honneur en commettant un geste qui allait changer à jamais la destinée des Lavigueur, peu importe quelles étaient ses intentions en se présentant sur leur seuil. Une part égale du gros lot : voilà ce qui lui revenait justement. Tous les participants s'entendaient sur ce point.

Les Lavigueur chez Loto-Québec

Le lendemain de ce soir mémorable, le mardi, 1er avril 1986, les six heureux gagnants se donnent rendez-vous vers neuf heures devant le domicile des Lavigueur. Ensemble, ils se rendront aux bureaux de Loto-Québec pour réclamer leur prix. La nuit a semblé durer une éternité : chacun savait qu'il avait droit à une véritable fortune, et il leur pesait de ne pouvoir le confirmer en tenant entre leur main cet argent qui les attendait. Il leur fallait cependant attendre l'ouverture des bureaux de Loto-Québec avant de pouvoir en profiter.

Quelque chose en eux les faisait craindre que la richesse leur file une fois de plus entre les doigts. Chaque heure de la nuit s'est écoulée dans une lourde attente où le bonheur et l'anxiété ne faisaient qu'un. Aux fantasmes sur ce qu'ils allaient faire de leur argent se confondait la peur de se réveiller et de s'apercevoir que toute cette histoire n'était qu'un rêve. Attendre, voilà tout ce que les Lavigueur pouvaient faire. Les interminables heures ont passé; le billet chanceux, que Jean-Guy conservait précieusement maintenant, n'a jamais cessé d'afficher le numéro gagnant.

Le mardi matin, à l'épicerie Métro A. Tougas où Yve travaille, à l'angle des rues Iberville et Lafontaine, personne ne se doute de la bonne fortune que connaît l'un des leurs. Le jeune homme s'y rend, ponctuel comme toujours, environ trente minutes avant le début de son quart de travail. Plusieurs de ses collègues y sont déjà et se préparent pour une autre journée à placer des boîtes, à étiqueter les produits et à astiquer les allées. Yve, qui n'a pas fermé l'œil de la nuit (ce qui ne l'empêche pas de rayonner !), ressent le besoin de partager avec tout le monde l'incroyable nouvelle. Surtout, il a hâte de donner sa démission, non pas parce qu'il n'aime pas son travail, mais tout simplement parce que ça fait partie du grand événement. Lorsqu'on songe à ce que ce serait de devenir millionnaire, on rêve de dire adieu au patron, adieu aux obligations, adieu à l'ancienne vie ! On veut coûte que coûte repartir à neuf.

Yve est triomphant en entrant dans l'épicerie. Il salue ses collègues puis, le visage illuminé, leur annonce :

«Les amis, j'travaille pas aujourd'hui. J'vas pas travailler demain non plus... Ma famille et moi, on a gagné le gros lot d'la 6/49 !»

Incrédulité, rires et moqueries. Chacun le sait : le dernier prix de Loto-Québec est le plus important qui ait été attribué jusqu'alors. Assez difficile de croire que leur copain ait touché cette somme colossale. Mais Yve insiste, et les autres s'intéressent de plus en plus à son histoire. Dirait-il vrai, ou est-ce simplement une blague qui s'étire un peu trop ? Après tout, aujourd'hui est le premier jour d'avril, le jour où toutes les farces et attrapes sont permises ! De plus, si c'était vrai, Yve leur en aurait touché un mot hier, non ? Étalagistes, emballeurs et caissières, tous s'accordent pour dire que leur confrère leur tire la pipe, qu'il est impossible que deux employés de *leur* Métro aient été choyés par la Fortune dans un si court laps de temps.

En effet, trois semaines plus tôt, un livreur au service de l'épicerie gagnait plus d'un demi million de dollars à la loto 6/36 – un tirage populaire qui a précédé la 6/49. C'est Jean-Marc Langlais, que tout le monde appelait Ti-Marc, qui, en retour de quelque service qu'il avait rendu à l'épicier, avait fait en sorte que Yve soit embauché chez Métro. Le jeune travailleur était d'ailleurs un bon ami d'Yve, qui enviait et jalousait naturellement ce revirement inespéré. Il semblait que, depuis quelque temps, la chance souriait aux résidents de la rue Logan. Les Langlais avaient gagné un montant considérable, de même que la famille

Parent, la famille Saint-Laurent et la famille Plamondon qui, pour sa part, avait touché un prix se chiffrant dans les millions de dollars grâce à la Lotto 6/49. «Pourquoi pas nous autres, maudit ?» se demandait Yve, croyant que la Chance prendrait tôt ou tard pignon sur une rue voisine. Cela ne l'empêchait pas d'être fort heureux pour Ti-Marc puisque, quelque temps auparavant, ce dernier avait laissé la Fortune lui filer sous le nez. Son épouse et lui jouaient à la loterie depuis des mois avec les mêmes numéros, jusqu'à ce qu'une calamité s'abatte sur eux. Par une distraction des plus regrettables, les deux avaient oublié une seule fois de faire valider leur série de numéros. C'est précisément cette semaine-là que leur combinaison était la bonne. 1,3 million de dollars leur avaient échappé, au grand damne du jeune couple qui avait nettement besoin d'un tel coup de pouce de la part du destin. Puis, un jour, Loto-Québec remettait la plus grosse cagnotte de l'histoire de la 6/36, soit cinq millions de dollars. Cette fois, les Langlais devenaient riches, même s'ils ne se méritaient pas la totalité du prix : cette somme devait être partagée en neuf parts, puisque autant de billets avaient été achetés avec la même combinaison. Les 536 000 $ que Ti-Marc et sa conjointe touchaient ne les décevaient tout de même pas; d'ailleurs, aux yeux de tous ceux qui les connaissaient, il s'agissait là d'un juste retour des choses.

Aujourd'hui, Yve Lavigueur clame qu'il goûte à la même chance que son ancien collègue… «Peu probable», pensent les autres. La nouvelle se répand parmi les employés, si bien que le gérant de l'entreprise, Roger

Théberge, se sent bientôt obligé d'intervenir. «Envoye, assez niaisé. Y est l'heure d'aller travailler !» Yve n'a nullement l'intention d'obtempérer. Le gros lot qu'il a gagné consacre son indépendance : le jeune homme sait qu'il ne travaillera plus avant longtemps. «Désolé, patron», lui répond-il d'un air crane. «J'ai gagné le gros lot d'la 6/49... je suis rien qu'venu vous voir à 'matin pour vous donner ma démission !» Le patron n'est pas amusé par ce qu'il croit toujours être une plaisanterie. Il sert à son employé un sévère avertissement et lui réitère l'ordre de se mettre au boulot. Yve ne bronche pas.

Les autres employés doutent soudain que cette histoire soit un canular. S'il ne disait pas vrai au sujet du gros lot, comment pouvait-il oser narguer ainsi le gérant ? «Je t'avertis, Yve», tranche monsieur Théberge, prêt à sévir. «Si t'essayes de faire de moi un poisson d'avril, j'suis pas amusé. C'est ta dernière chance : ou tu te mets à l'ouvrage tout de suite, ou tu peux prendre la porte et te chercher d'la *job* ailleurs.» La tension monte, mais Yve reste calme. Il salue poliment son patron et les autres employés, tourne les talons et quitte les lieux. Théberge grogne un peu, puis se demande à son tour si ce que son employé racontait pouvait bien être vrai. Alors qu'il retourne vers son bureau, tout au fond du magasin, les autres commis reprennent leur travail, dans un silence monastique.

❖

Ce matin-là, quelques minutes avant l'heure du rassemblement, Jean-Guy Lavigueur sort de chez lui accompagné par Sylvie et Michel. William Murphy les attend fidèlement sur le seuil. L'oncle Souris, qui participait lui aussi aux tirages hebdomadaires de la famille, se joint à eux, suivi quelques minutes plus tard par Yve, qui rit encore de la stupéfaction de ses collègues. Tous sont frénétiques, fébriles et un tantinet nerveux. La bande prend place dans la voiture familiale des Lavigueur et s'envole vers le siège social des loteries québécoises, situé à l'angle des rues Sherbrooke et Aylmer, dans le centre-ville de Montréal.

Personne n'ose trop envisager ce qu'on leur réserve. Est-ce qu'il aurait fallu téléphoner pour avertir les gens de Loto-Québec de leur venue imminente ? Y a-t-il un protocole à suivre ? Tous tentent de se remémorer les récits des voisins qui ont décroché des gros montants afin de déterminer s'ils font bien de se présenter ainsi, «comme un cheveu sur la soupe».

En route vers l'endroit où chacun a rêvé plusieurs fois de se rendre, l'émotion est à son comble. Il faut pourtant garder son sang froid quelque temps encore. Bientôt, parmi le va-et-vient de la grande ville, au cœur de cette confusion ordonnée d'une métropole qui bat son plein en ces premières heures d'une nouvelle semaine, un singulier cortège circule, circonspect. Jean-Guy Lavigueur mène la parade d'un pas vif, suivi de sa famille qui arrive difficilement à se contenir. La marche est de courte durée :

tous traversent les portes vitrées des bureaux de Loto-Québec et chargent le chef du clan de s'adresser à la réceptionniste.

«C'est pour faire vérifier notre billet...» dit-il humblement. On lui demande de passer au comptoir suivant. Jean-Guy obéit, tend le billet au nouveau préposé et répète : «C'est pour faire vérifier notre billet...» Un instant passe, le temps de quelques vérifications préliminaires, et l'on confirme aux Lavigueur ce qu'un étranger leur a appris la veille : «Vous êtes les heureux gagnants du gros lot de la Lotto 6/49.» Les six se permettent un soupir de soulagement, comme s'ils venaient de passer une épreuve angoissante. «Nos gagnants souhaitent-ils passer au salon ?»

Le personnel des lieux est étrangement calme. Vêtus d'habits chics et austères, ces hommes et femmes partagent à peine l'euphorie des Lavigueur. Et pour cause : chaque jour, des gens s'adressent à eux pour réclamer des prix auxquels ils n'ont pas droit et, régulièrement, des gens sortent de leurs locaux plus riches de quelques millions. Tous ces préposés impressionnent toutefois les nouveaux millionnaires, qui se sentent gauches de se faire soudain traiter avec courtoisie et déférence. Tout est nouveau pour eux, et leur gêne ne cesse de croître car ils se sentent observés, jugés. Ce sentiment les suivra encore un bon moment...

Les locaux de Loto-Québec ne permettent pas qu'on oublie que c'est l'endroit où les rêves se concrétisent. Deux portes majestueuses gardent orgueilleusement ce que l'on nomme le «Salon des millionnaires». Seuls les gagnants d'un gros lot d'un million de dollars et plus y ont accès. Cette salle somptueuse est décorée d'un rouge riche et ornée à l'effigie de Loto-Québec, reconnaissable par ses deux cornes d'abondance. On invite les Lavigueur à s'installer dans les fauteuils douillets qui enjolivent le salon, et on leur sert chacun une flûte de champagne et quelques canapés. «Nous préparons les chèques, monsieur Lavigueur.» Six chèques seront émis, un pour chacun des participants, frappés au montant de 1 275 044 $. «Vous savez, le prix que vous remportez est le plus important de toute l'histoire de la loterie au Québec.» Ils le savent bien, même si cela est encore un peu difficile à croire.

Avant la distribution des chèques, on sollicite les Lavigueur pour quelques photographies. Les six gagnants s'alignent sagement, après quoi on leur demande de bien vouloir tenir un énorme placard sur lequel est inscrit en lettres grasses «6/49». Le photographe officiel de Loto-Québec est sur les lieux et entreprend de bombarder le groupe de ses flashs stroboscopiques. Un journaliste assigné est chargé de recueillir les premiers propos des gagnants. Les Lavigueur ne sont pas bavards : «On est ben content... merci !» Tous les employés du bureau se joignent à la fête. Le salon des millionnaires semble soudain être le haut lieu d'une soirée mondaine des plus exclusives, et il n'est pas encore midi ! Au travers la cohue, qui s'intensifie avec chaque minute qui passe, on remet les prix. Nouvelles photos, quelques questions supplémentaires, et encore un peu de champagne. On leur remet aussi une attestation qui commémore à juste titre l'événement : un document énonçant qu'en ce 1er avril 1986, on versait aux Lavigueur 7,6 millions de dollars.

Le cirque médiatique commence

Lorsque celui qui semble diriger la cérémonie s'approche de Jean-Guy, le père de famille croit qu'il est l'heure de rentrer chez lui. Bien que l'on s'apprête à fermer le salon des millionnaires jusqu'au prochain tirage, les gagnants d'aujourd'hui n'obtiendront pas leur congé de sitôt. «Les journalistes sont prêts, monsieur Lavigueur.» La réclamation de son prix se transforme soudain en cirque médiatique.

Un tunnel souterrain relie les bureaux de Loto-Québec à une salle de réception de l'hôtel Delta, à quelques mètres de là. On y escorte poliment les Lavigueur qui, encore une fois, ne se doutent pas de ce qui les attend.

C'est à croire que, pendant qu'ils préparaient les chèques pour la famille Lavigueur, les dirigeants de Loto-Québec ont pris soin d'aviser les médias, qui se tenaient sur un pied d'alerte depuis samedi. Tout comme les journalistes eux-mêmes, les gens à la tête de Loto-Québec savent bien que le public a hâte de savoir ce qui adviendra du plus gros prix de l'histoire du Québec et, surtout, *qui* s'accaparera du gros lot. Ce genre de presse fait des merveilles pour la société des loteries et des courses du Québec. Aussitôt que les gagnants d'un gros prix sortent de l'ombre, le public réagit habituellement en investissant davantage dans les billets. Aussi, dans de telles occasions, on n'hésite pas à convoquer les médias qui, en échange d'une bonne histoire, fournissent une publicité presque gratuite à Loto-Québec.

Dès qu'ils franchissent le hall du Delta, les flashs se remettent à exploser de plus belle. Cette fois, les journalistes sont nombreux, et ils ne se contenteront pas de lieux communs pour rédiger leurs articles. La scène rappelle les plus grandes heures de la beatlemanie. On s'arrache les différents membres de la famille, on insiste pour leur soutirer des propos originaux dignes d'intérêt. Jean-Guy n'est pas plus volubile qu'aux bureaux de Loto-Québec, tandis que la langue de ses enfants commence à se délier un peu. On demande aux gagnants de prendre place derrière une longue table sur laquelle sont juchés une demi-douzaine de microphones. Les Lavigueur n'ont d'autre choix que de se livrer au jeu de la conférence de presse.

Les journalistes trouvent intéressant le fait que d'aussi jeunes gens soient les heureux gagnants d'une si grosse fortune. Après tout, Michel n'a que quinze ans et Yve vient tout juste d'atteindre sa majorité. Les questions fusent : «Qu'est-ce que vous entendez faire de votre fortune ?» demande-t-on à Yve. Ce dernier ne songe certainement pas à faire des investissements ou à placer son argent et à la faire fructifier. À son âge, une telle somme d'argent apparaît inépuisable et la meilleure façon d'en profiter semble être de la dépenser. Il ne se gêne d'ailleurs pas pour partager quelques-unes de ses intentions : «J'vas sûrement m'acheter une maison, un château, si possible, et p't-être un bateau. Ça fait longtemps aussi que j'rêve de m'acheter une *Trans-Am* noire…» Les journalistes notent. «Michel, vous qui n'avez pas l'âge prescrit par la loi pour gérer vous-mêmes l'argent qui vous revient, quels sont vos plans pour les prochaines années ?» Le cadet de la famille a une réponse toute prête : «J'vas continuer d'étudier… Un jour, j'vas devenir un avocat. Pis j'vas attendre ben tranquillement d'avoir mes dix-huit ans !» On rigole un peu, puis on écrit. «Et vous, monsieur Lavigueur, quels gros projets vous attendent ?» La réponse est moins élaborée que les autres : «Rien, pour l'instant. »

Jean-Guy a de la peine à croire qu'une telle assemblée ait pu se matérialiser ainsi. Il comprend encore moins pourquoi on leur pose toutes ces questions, pourquoi on s'intéresse soudainement à sa vie privée, à ses rêves, à ses ambitions. Chose certaine, s'il s'était douté que la venue de sa famille au siège social de Loto-Québec aurait produit un tel chaos, il n'y serait pas allé. D'après ce qu'il connaît et comprend du processus de remise des prix, il est possible de charger une tierce personne – un avocat, par exemple – de réclamer l'argent. S'il est vrai que le nom des gagnants doit être rendu public, la conférence de presse, le manège des journalistes et les mille photographies ne sont pas obligatoires. «Ça achève, toute cette folie», essaie-t-il de se convaincre.

Au fil des discussions, il est question des circonstances ahurissantes dans lesquelles les Lavigueur ont appris qu'ils remportaient le gros lot. L'histoire donne l'eau à la bouche aux journalistes, qui reportent un moment leur attention sur cet énigmatique William Murphy. Le sixième gagnant ne parle pas beaucoup, ce qui ne ralentit en rien la collecte des potins. «Un honnête citoyen trouve le billet gagnant par hasard, et on le récompense généreusement pour l'avoir rapporté à son légitime propriétaire!» Que demander de plus pour mousser les ventes de journaux?

Un buffet princier suit la conférence de presse. Les journalistes semblent avoir une réserve inépuisable de questions, et les enfants Lavigueur se donnent tout entiers. Tout ce que Jean-Guy trouve à dire est qu'il n'entend pas changer de voiture qui, dit-il, lui convient parfaitement. Quelques heures après que la famille se soit présentée chez Loto-Québec, le jubilé s'apaise un peu. Il est temps de rentrer chez soi, dans le calme de la rue Logan.

Les nouveaux millionnaires

Yve flotte sur un nuage, et il veut que ses proches témoignent de son bonheur quasi irréel. Vers le milieu de l'après-midi, le jeune millionnaire retourne à son lieu de travail. En quittant ce matin-là, il avait promis à toute son équipe qu'il leur offrirait une bière à sa santé une fois que Loto-Québec lui aurait remis son chèque. Aussi veut-il se réconcilier un peu avec le gérant de l'endroit qui l'a vu sortir en ne croyant pas un traître mot de ce qu'il racontait. Yve ne lui en tient pas rigueur : comment ne pas être sceptique face à une telle situation ? Il faudra pourtant que le patron en vienne à le croire !

Dès qu'il franchit la porte de l'épicerie, tous les employés se mettent à applaudir. Ils ont vu les Lavigueur à la télévision, ont entendu à la radio la nouvelle de la manne qui a plu sur leur tête, et ne peuvent plus douter de la parole de leur collègue. Yve échange nombre de poignées de main, encaisse les félicitations qui fusent et, tel que promis, offre à boire à tous ses amis. L'accueil qu'on lui a réservé est à la hauteur de ses attentes. «L'argent change bien des choses», se dit-il, arborant un large sourire triomphant. Le gérant du Métro A. Tougas vient le retrouver à son tour, battant modestement des mains, comme pour signifier qu'il a eu tort, et souhaite la meilleure des chances à celui qui ne travaillera nécessairement plus pour lui. Yve lui montre son chèque, les yeux scintillants de fierté, et lui demande, sur un ton taquin : «Pourrais-tu me le changer ? J'ai besoin d'un peu d'argent de poche…» Monsieur Théberge rit de bon cœur, et réplique par sa propre plaisanterie : «Tu serais pas intéressé à acheter l'épicerie, par hasard ?» Certes, Yve en a maintenant les moyens, mais il entend dépenser sa fortune bien autrement.

Avant que les guichets ne ferment pour la journée, les Lavigueur doivent faire un saut à la banque. Les cinq membres de la famille se rendent à la Caisse populaire Saint-Vincent-de-Paul pour y déposer leur trésor. Jean-Guy, Sylvie, Yve, Michel et oncle Souris enrichissent tour à tour leur compte de banque de 1,27 million, ce qui ne laisse pas la préposée de service indifférente. Bientôt, le gérant de la caisse serre la main des gagnants et leur offre ses meilleurs souhaits de succès avec leur nouvelle fortune.

En rentrant chez lui, Jean-Guy vérifie comme par automatisme le contenu de sa boîte aux lettres. Il y trouve une enveloppe qui porte le sceau du gouvernement fédéral : on vient de lui faire parvenir son premier chèque d'aide sociale. «C'est l'premier avril !» se rappelle-t-il à mi-voix. «C't'aujourd'hui que j'tombe sur le B.S.» Une fierté indescriptible l'envahit soudain. C'est à croire qu'un ange gardien n'ait pas voulu qu'il se rabatte sur le bien-être social, comme si sa répulsion de vivre aux crochets de la société avait forcé la destinée à lui sourire un peu. À peine a-t-il ouvert l'enveloppe que Jean-Guy décroche le téléphone, impatient de parler avec un fonctionnaire de l'assistance sociale. «Que c'est que j'fais avec mon chèque, ma chère dame ?» demande-t-il prestement dès qu'on lui répond. «J'm'allume-tu un cigare avec ?» À vrai dire, le montant qui y est indiqué lui paraît insignifiant comparé à celui du chèque qu'il vient tout juste d'encaisser. Il méprise soudain ce qu'il considère être «une poignée de change», mais qui l'aurait néanmoins fait vivre, lui et sa famille, n'aurait-ce été du sort qui a tourné. La préposée sait précisément à qui elle a affaire, pour en avoir entendu parler toute la journée. «Ce chèque est à vous, monsieur Lavigueur. Vous étiez admissible au Bien-être social lorsque vous en avez fait la demande, et il a été émis en bonne et due forme.»

Son orgueil l'empêche pourtant de l'encaisser. Le soir même, Jean-Guy se fait un point d'honneur de déposer l'enveloppe dans la boîte postale du quartier, avec la mention : «À retourner à l'expéditeur».

Les Lavigueur sont riches. Millionnaires. Tous leurs ennuis sont choses du passé, croient-ils. Mais la partie ne fait que commencer.

CHAPITRE QUATRIÈME

Être millionnaire, ça change pas le monde...

Ils arrivent difficilement à le croire. Vendredi dernier, les Lavigueur n'avaient à peu près aucun sou dans leurs poches. Au lendemain de leur virée chez Loto-Québec, chacun a plus de 1,2 million de dollars, disponibles pour subvenir à leurs moindres désirs. Impatients de goûter à l'abondance, les trois enfants – Michel y compris, avec la bénédiction paternelle – ont rempli leur portefeuille de trois cents nouveaux dollars. La veille, on a fait livrer des mets chinois, de la pizza et autres délices, selon les caprices de tout un chacun. «Tout est permis», chantait-on chez les Lavigueur. «On s'est privé toute notre vie. À 'soir, y a pas de limites !»

À leur réveil, la famille se rend compte qu'elle fait toujours partie des nouvelles du jour : «Un billet égaré de

6/49 fait six millionnaires»; «Les nouveaux riches de la rue Logan»; «Le plus gros 'gros lot'»; «*Wallet brings finder $ 1.27-million reward*»; «6/49 : l'incroyable histoire est en train de faire le tour du monde».

Ce matin-là, Yve s'est chargé d'aller acheter les quotidiens dans lesquels il était question de sa famille. Il se doutait bien que les journaux consacreraient quelques lignes à leur aventure, mais il ne s'attendait tout de même pas à faire la une de *tous* les quotidiens, anglais et français confondus. Jean-Guy presse Sylvie de lui raconter ce qui est écrit, curieux de savoir ce que tous ces journalistes ont bien pu trouver à dire. Tandis qu'elle lit à voix haute le grand titre de tel et tel journal pour son père, Michel et Yve s'arrachent les photos d'eux qu'on a publiées. «Un conte de fées de 7 650 267 $», relate Sylvie avec énervement. Jean-Guy est concentré; il boit chacune des paroles de sa fille et hoche la tête imperceptiblement pour souligner les endroits où il est d'accord avec les propos rapportés.

Quelques détails le font cependant tiquer. Selon certains reportages, les Lavigueur seraient une famille sur le Bien-être social, *«on welfare»*, comme il est indiqué en grosses lettres dans la *Gazette*. Dans un autre article, on se trompe même sur son prénom «J'connais pas d'Jean-Louis Lavigueur !» dit-il en blaguant. Bref, les faits sont souvent erronés, chose à laquelle il devra malgré lui s'habituer.

Le téléphone ne dérougit pas. Les amis, la famille, les collègues de travail, tous tiennent à saluer les célébrités de l'heure. Dans les jours qui suivent, leur histoire est publiée dans à peu près toutes les revues d'actualité. On y rapporte les commentaires des différents membres de la famille, l'épisode du portefeuille perdu et retrouvé, et l'on spécule sur ce que l'avenir réserve aux nouveaux millionnaires.

Les médias impitoyables

À la radio de CKMF, on revient sur les propos de Jean-Guy qui disait vouloir conserver sa fidèle *Chrysler Newport 1980*. Les Lavigueur ont acheté cette voiture alors que Micheline était toujours en vie. Mais, plus que l'attachement sentimental à sa vieille bagnole, c'est l'attachement à ses vieilles valeurs qui ressort le plus dans son refus de la remplacer par une auto neuve. Jean-Guy a plus d'argent qu'il n'en a jamais eu auparavant, cela est vrai. Lui, par contre, l'homme qui dépeçait minutieusement les fils électriques pour en extraire la *coppre*, n'a pas changé. Celui qui a travaillé comme un forcené pour un salaire médiocre pendant tant d'années peut-il oublier aussi facilement tous les sacrifices et les économies auxquels il s'est astreint sans rechigner ? Ne peut-on pas comprendre pourquoi Jean-Guy refuse de lever le nez sur son ancienne vie, sur les choix qu'il a fait (tel que l'achat de sa *Chrysler Newport*) pour la simple raison qu'il a plus d'argent ?

Qu'à cela ne tienne ! Les animateurs du poste de CKMF s'empressent de se moquer allègrement du fait que Jean-Guy ne veuille pas se départir de sa voiture. La raillerie donne lieu à un concours fictif, pour lequel le grand prix serait la «minoune» des Lavigueur ! Le jeu consiste à décrire le véhicule de la façon la plus ironique possible au grand plaisir des auditeurs assoiffés d'humour. Les Lavigueur sont bons joueurs et rient comme tout le monde de ce véhicule imaginaire qui, selon ce qu'on en dit, est un véritable mutant de l'ère automobile : «…Pour faire avancer la 'minoune', il faut mettre la transmission à reculons», «…Les essuie-glaces sont activés par le volume de la radio», «…Le moteur se trouve dans le coffre arrière», «…Avec plus de six crevaisons en même temps, la 'minoune' roule toujours !»

Jean-Guy ne s'indigne pas de ces plaisanteries. La *Chrysler* brune qu'il aime tant a droit à une mise au point complète qui lui redonne l'apparence et la vigueur de ses premières années. C'est Yve qui en héritera d'ici peu, alors que son père, le temps venu, prendra lui-même la décision de s'en départir. Il optera par la suite pour une *Ford Taurus Station Wagon,* une voiture tout aussi sobre et utile que la *Newport.*

Des représentants de Loto-Québec demandent aux nouveaux millionnaires de se prêter encore à quelques efforts de promotion. On les interroge pour la millième fois sur le fameux portefeuille, on prend à nouveau des photographies de la famille et l'on publie le tout dans un feuillet d'information produit par la Régie des loteries. Leur présence est aussi requise pour saluer Gaétan et Colette Gionest, les propriétaires du dépanneur A.

Hébert où l'on a fait valider le billet gagnant. Loto-Québec leur remet la somme de 76 502 $, soit 1 % du gros lot remporté par les Lavigueur, ainsi qu'une affiche géante pour la vitrine, sur laquelle est inscrit : «Ici a été remporté le plus gros lot de la Lotto 6/49, au montant de 7 650 267 $». Les gagnants échangent quelques poignées de main avec les Gionest – de bons amis de la famille, à présent –, ils posent pour de nouvelles photos, puis rentrent chez eux.

Cet immense panneau a un effet extraordinaire pour Loto-Québec et pour les Gionest : dans les semaines qui suivent, les résidents de tout le Faubourg à M'lasse se ruent vers le dépanneur A. Hébert pour faire valider leurs combinaisons, dans l'espoir que l'endroit soit propice à émettre des billets gagnants. Les affaires du modeste commerçant montent en flèche, surtout au chapitre des billets de loterie.

Un premier voyage

Après quelques jours d'efforts promotionnels (au profit de Loto-Québec !), les Lavigueur sentent que les remous causés par leur aventure se dissipent un peu. Dans leur appartement de la rue Logan, on s'empresse de payer les dettes, de remplacer le téléviseur du salon et, bientôt, de planifier un voyage de célébration. Le choix est unanime : ces vacances bien méritées se dérouleront dans une destination soleil; c'est la Guadeloupe qui attend la famille nouvellement nantie. L'escapade serait d'autant plus heureuse si seulement Louise, qui a quitté le foyer des Lavigueur depuis près d'une semaine, était de la partie…

Louise fréquente depuis plusieurs mois un homme qui n'a rien pour enchanter le père de la jeune fille. À l'âge fragile de dix-sept ans, elle se plaît dans la compagnie d'un homme, son aîné d'une bonne quinzaine d'années, sans travail sérieux et sans promesse pour un avenir sain. Dans le faubourg, tout le monde connaît sa réputation de «rat de cellule», c'est-à-dire de voyou impénitent que l'on enferme ponctuellement en prison pour toutes sortes de délits – trafic de stupéfiants, vol à main armée et proxénétisme, parmi tant d'autres –, sans qu'aucune de ses punitions ne favorise sa réhabilitation. Les avertissements répétés de Jean-Guy contre les dangers que court Louise qui continue à fréquenter son ami de cœur n'ont servi à rien. Ses ordres, qu'il lançait avec la conscience d'agir en bon père de famille, furent ignorés. Lorsqu'il a formellement interdit à sa fille de sortir avec celui qu'il considérait comme le pire des vauriens, Louise a claqué la porte. Cette altercation entre le père et sa fille avait lieu le lendemain de la première visite de William Murphy…

C'est chez son oncle Armand qu'elle s'est d'abord rendue, le suppliant pour qu'il la loge quelque temps sous prétexte qu'elle vivait des problèmes familiaux qu'elle ne pouvait partager. Incapable de prendre position contre l'autorité de Jean-Guy, Armand l'a convaincue de partir de chez lui pour essayer d'arranger les choses avec son père. Mais en quittant le logement de son oncle, sur la rue Fullum, c'est sur la rue Marquette qu'elle est allée, là où sa cousine Line Daudelin l'attendait à bras grands ouverts. Louise ne pouvait pas savoir que son escapade tombait à un bien mauvais moment, et que sa famille s'apprêtait à vivre sans elle une formidable aventure.

Louise avait participé pendant plusieurs semaines avec les autres à l'achat de billets pour les tirages de la Lotto 6/49. Elle avait, comme ses frères et sœur, pigé sa douzaine de numéros dans la boîte magique et avait contribué ses deux dollars hebdomadaires pendant un bon moment. Son côté subversif l'avait un jour poussée à renoncer à la mise commune, affirmant qu'elle n'était plus intéressée à s'associer de cette manière à sa famille. «C'est-tu une question d'argent ?» lui avaient demandé les autres, prêts à contribuer à sa place le montant dérisoire qui donne droit au rêve. Là n'était pas le problème. Louise se rebellait contre sa famille, et tout ce qui les concernait ne l'intéressait plus – pire encore, la rebutait. Elle en avait marre de se voir soutirer les maigres dollars qu'elle gagnait ici et là pour satisfaire aux exigences de son père; si elle se devait de lui verser encore une pension, rien ne l'obligeait pourtant de participer à cette nouvelle dépense. Sylvie, Yve et Michel avaient tour à tour essayé de la convaincre de ne pas abandonner cet innocent rituel. Têtue, rien au monde n'aurait pu lui faire changer d'idée.

Quelques jours avant le grand voyage des Lavigueur, Louise téléphone à son père. Comme tout le reste de la province, elle a entendu parler de la bonne fortune que connaissaient les autres membres de sa famille. Bien qu'il soit heureux d'entendre la voix de sa fille, pas question de reculer sur ses principes : l'autorité de Jean-Guy doit être respectée, richesse ou pas. Il gronde sa fille un peu, lui fait quelques reproches, et lui signale qu'elle a bien mal choisi son moment pour faire une fugue. «T'as vu c'que tu manques, Loulou ?» lui dit-il, avec une sévérité paternelle. «T'aurais pu en profiter, toé 'si, de notre gros lot !» Sa fille encaisse difficilement le coup. «J'vas toucher ma part d'l'argent», lui lance-t-elle, avec assurance. «J'ai droit à mon million, 'pa, pis tu vas être obligé de me l'donner !»

Jean-Guy Lavigueur est bouche bée. Même s'il est strictement hors de question qu'il accède aux demandes de sa fille, il arrive à peine à croire qu'elle lui ait fait une telle réclamation. Une dispute se prépare, mais il est encore temps d'éviter le pire. «Écoute, Louise. On part toute la *gang* pour la Guadeloupe. J't'ai réservé une place avec nous autres… J't'ai même acheté un billet d'avion ! Viens donc faire c'te petit voyage avec ta famille. Tu vas voir, les choses vont se tasser, pis j't'e promets une belle surprise, à part 'ça !»

Louise ne se laisse pas amadouer. Des amies et certains membres de la famille l'ont convaincue qu'une part importante du gros lot lui revenait. Un voyage et cette «surprise» que veut lui faire son père ne sont que peccadilles. «T'as droit à un million au complet», lui a répété sa cousine. «Y ont pas l'droit de t'refuser c't'argent-là», soutient une tante.

Une graine de zizanie vient d'être semée au cœur de la famille Lavigueur.

La surprise que réservait Jean-Guy à sa fille n'avait rien d'anodin. Les cinq membres de la famille s'accordaient pour lui verser d'abord vingt-cinq mille dollars chacun, montant auquel elle aurait eu accès à sa majorité, si elle acceptait de rentrer à la maison et de calmer un peu ses esprits. D'autre argent allait certainement suivre : on considérait même éventuellement sacrifier chacun deux cents mille dollars de sa fortune pour verser le fameux million auquel Louise disait avoir droit. Ce n'est par contre pas par *obligation* qu'on allait le lui verser. On n'attendait qu'un geste de bonne foi de la part de celle qui s'était séparée de la famille, mais la jeune fille n'entendait faire rien de la sorte. Louise percevait dans leurs bonnes intentions une part de chantage, et elle n'avait pas tout à fait tort. Vu son caractère indiscipliné, il était pourtant normal pour sa famille de s'attendre à ce qu'en échange de l'argent, elle se calme un peu. Cette perspective ne lui plaisait pas. «Ça va pas se passer comme ça», se dit-elle, sachant que d'autres recours s'offraient à elle.

Louise n'accompagnera donc pas sa famille dans les Antilles françaises. William Murphy, que les autres considéreront toujours comme «leur bonne étoile», ne les suivra pas non plus. L'homme qui, par un geste inoubliable, a changé le destin de cette modeste famille, retournera sous peu à Vancouver, et les Lavigueur n'entendront plus parler de lui.

Les Lavigueur n'ont jamais voyagé. Hormis son voyage de noces aux chutes du Niagara et quelques excursions de camping, le père de famille n'a jamais quitté le Québec. Leur première expérience en avion les chavire, si bien qu'ils regrettent presque la fin du premier vol. Une agence de voyage s'est chargée d'organiser les vacances dans leur ensemble, des billets d'avion jusqu'à l'hôtel, sans oublier les quelques activités récréatives auxquelles ils pourront s'adonner.

En traversant le vestibule de l'hôtel, Jean-Guy constate avec stupéfaction qu'un journaliste les attend. Les journaux à potins pour lesquels les paparazzi travaillent sont insatiables. Ils savent que les Québécois sont curieux de savoir ce que font les Lavigueur avec leur argent, et tous les moyens sont permis pour obtenir de l'information. Les vacanciers sont bien embêtés. Leur maladresse est extrême, ne sachant que répondre ni que faire. Ils sont encore trop polis envers les importuns, trop souriants. En fait, ils n'ont rien à leur dire.

Toute cette attention médiatique les étourdit un peu. C'est normal : on leur accorde depuis quelques jours la même attention qu'aux *stars* les plus convoitées !

Lorsqu'ils ont réclamé leur gros lot, les Lavigueur ne pensaient qu'à l'argent sans s'attarder aux répercussions de leur nouvelle richesse; c'est pourquoi ils s'étonnent encore de leur gloire soudaine. D'ailleurs, personne n'avait songé à les prévenir des côtés moins heureux de se retrouver millionnaire du jour au lendemain...

Agacés mais encore un peu charmés, les Lavigueur se prêtent d'abord aux entrevues, répondant sans détours aux questions plus ou moins intéressantes que leur adresse le reporter dépêché sur place. «On est là pour deux semaines.» «Non, on sait pas trop c'qu'on va faire à notre retour à Montréal.» «Notre seul objectif, c'est de se reposer un peu. C'est toute.» Le journaliste ne laisse échapper aucune parole, puis disparaît un moment. Le lendemain, alors que le groupe se rend à la plage pour quelques heures de détente au soleil, l'importun de la veille vient les retrouver. «Et qu'est-ce que les Lavigueur font aujourd'hui ?» «Croyez-vous devoir faire des achats considérables en Guadeloupe ?»

C'en est assez. Après tout, ce sont «leurs» vacances et ils n'entendent pas les partager ! Yve se permet de prendre à l'écart le journaliste pour lui demander gentiment de laisser sa famille tranquille pour les jours à venir. Si on cesse effectivement de les harceler par la suite, on ne renonce pas pour autant à les épier...

La semaine se déroule tout de même dans un calme serein, propice à ce que chacun puisse se remettre des fortes émotions qui les ont secoués récemment. L'hôtel est confortable, la nourriture, succulente et la plage, splendide. Les deux semaines de soleil sont rafraîchissantes, mais un malaise hante le cœur des Lavigueur jusqu'à la toute fin. Chacun aurait préféré que la jeune sœur les accompagne et partage avec eux ces premiers moments de calme après la tempête. Leur euphorie en est d'ailleurs quelque peu étouffée.

Lorsque la famille descend de l'avion, une panoplie de journalistes les attendent, calepin à la main et caméra à l'épaule, avec une foule de nouvelles questions. L'agitation est telle que les autorités de l'immigration ne les questionnent même pas au moment de traverser les douanes ! Les Lavigueur n'y comprennent rien : c'est comme s'ils avaient raté un épisode important de l'émission dans lequel ils jouent : «Monsieur Lavigueur, vos commentaires sur la poursuite intentée par votre fille ?» «Monsieur Daudelin, êtes-vous inquiet de voir saisir votre fortune ?» «Madame Lavigueur, quelle est votre opinion sur le procès que votre sœur intente à vous et votre famille ?»

Personne ne répond aux questions, selon le conseil de leur notaire, venu les retrouver. Il leur fraie un chemin parmi les journalistes jusqu'à la sortie où un taxi les attend.

Mais que s'est-il passé pendant leurs deux semaines à l'extérieur du Québec ?

Le procès de Louise

Lorsque Louise clamait qu'elle avait droit à sa part du gros lot, qu'elle *allait* la toucher, elle n'entendait certainement pas à rire. Pendant que sa famille se reposait sur les plages antillaises, elle s'est adressée à la firme d'avocats Pilon et Lagacé, sur la rue Ontario. Ces brillants hommes de loi promirent à la jeune fille qu'ils lui prêteraient main-forte dans ses revendications, ce qui, pour eux, signifiait avant tout qu'ils toucheraient un savoureux profit. Il leur avait suffi de compléter quelques documents pour «geler» les comptes de banque des Lavigueur, le temps d'une délicate action civile.

Les membres de la famille sont estomaqués, sans toutefois être tout à fait surpris. Louise est à l'égal d'elle-même, et un tel coup de tête reflète bien son caractère emporté et fougueux. De mauvais conseils, de mauvaises influences l'ont persuadée qu'elle était dans son bon droit de faire une telle réclamation. Ces gens qui l'ont encouragée à agir de la sorte – qu'ils s'agissent d'amis ou de parenté – espèrent-ils pouvoir eux-mêmes mettre la main sur une part de la fortune ? Chose certaine, ils contribuent généreusement à empoisonner les relations entre Louise et sa famille à tout jamais.

Les gagnants officiels ont de la peine à se remettre du coup. Jean-Guy, plus que les autres, se sent trahi par sa fille, avec qui il avait essayé de se réconcilier. En s'imaginant les scènes du procès qui s'annonce, il s'inquiète, pour lui et ses enfants – ses *quatre* enfants. «C'est elle qui va être la plus grande perdante», conclut-il, désolé.

Au cours des premiers jours qui avaient suivi la remise de leur prix, Gaétan Gionet, le propriétaire du désormais célèbre dépanneur, avait présenté le notaire Alain Picard à la famille. Ce professionnel était le bienvenu afin de les aider lors de leurs premiers pas en tant que millionnaires. Picard n'est toutefois pas avocat : il ne pourra les défendre dans le procès intenté par Louise. Le notaire conseille donc aux Lavigueur de faire appel à un membre en règles du barreau qui plaidera en leur faveur.

«Un bref de saisie avant jugement», voilà comment se nomme l'intervention de Louise, accordée par le juge Jean Provost, selon les propos des avocats du cabinet de Manseau et Groulx. Les Lavigueur n'ont perdu aucun temps et se sont présentés à leurs bureaux, où on leur a expliqué la procédure judiciaire qu'ils doivent suivre pour régler cette affaire. La jeune fille réclame prestement 1 275 044,50 $ – montant qu'elle prétend lui revenir à juste titre. Les avocats des Lavigueur soutiennent leurs clients : il est définitivement hors de question de souscrire à une telle requête. Après avoir demandé à chacun de mettre par écrit les événements des quelques jours précédant le tirage et qui concernent Louise Lavigueur, Me Michel Groulx communique avec Me Jean-Pierre Pilon, ce qui donne lieu à un échange peu fructueux. En bout de ligne, on n'arrive à s'entendre que sur un seul point : c'est la Cour qui devra trancher sur la question.

❖

Puisqu'elle n'a pas encore atteint sa majorité, un tuteur est désigné pour veiller au bien-être de Louise tout au long des procédures. Il s'agit de Guy Trudeau, un comptable et membre éloigné de la famille, qui donne l'impression d'être un homme honnête ne pouvant souhaiter profiter d'un gain de cause par l'une ou l'autre des parties. Pour qu'il lui soit permis par la loi d'agir en qualité de tuteur, Trudeau doit accueillir Louise sous son toit le temps du procès. Cela ne plaît pas tellement à la jeune fille, pas plus qu'à sa famille immédiate qui se demande toujours d'où peut bien sortir ce «bon samaritain» dont ils ont à peine entendu parler. Est-il vraiment désintéressé par cette affaire, ou bien est-il lui aussi attiré par l'appât du gain ?

Même si Trudeau fait tout en son pouvoir pour défendre les intérêts de sa protégée, il comprend qu'il n'est pas le seul maître à bord : c'est l'avocat de Louise, Jean-Pierre Pilon, qui tient les rênes. Le tuteur se fait d'abord discret et réserve ses interventions pour plus tard, au cas où cette affaire prendrait un tournant qui ne lui convient pas. Afin de guider Louise dans ses décisions et pour faire différentes recommandations, on forme un conseil composé d'une vingtaine de membres de la famille – oncles, tantes, cousins et cousines. Son bon jugement lui suffit pourtant presque tout au long des procédures; elle est toutefois bien contente de se savoir secondée dans cette affaire si inhabituelle...

❖

Les Lavigueur doivent patienter une bonne semaine avant de se présenter devant le tribunal. Leur argent apparaît toujours sur les relevés de compte, mais il leur faudra attendre la fin d'une série de formalités à huis clos avant d'être autorisés à dépenser leurs gains. C'est avec soulagement que Jean-Guy et ses enfants apprendront, suite à ces procédures, que le gros lot n'est plus «gelé» au complet, même si le quart de cette somme ne sera pas accessible avant la fin du procès. En attendant, les millionnaires s'entendent tous pour rester prudents et pour ne pas faire de folles dépenses. «On sait pas c'qui peux nous arriver... C'est pas impossible qu'on nous enlève encore plus que ce qui a été gelé !» clame le père, incertain de l'étendue du pouvoir de la Cour.

Des jours difficiles s'ensuivent, où la colère et la frustration se mêlent à l'angoisse devant la décision capitale qu'ils attendent. Et si Louise pouvait toucher sa part du gros lot, est-ce que *d'autres* membres de la famille intenteraient des recours eux aussi ? La fortune des Lavigueur devra-t-elle être divisée parmi tous ceux qui tendront la main en leur direction ?

Il y a à peine un mois qu'ils ont gagné leur prix. Les médias n'ont guère eu le temps de s'ennuyer depuis. Rien ne les met plus en appétit qu'une bonne chicane de famille, surtout lorsqu'il s'agit d'une famille aussi intéressante que les Lavigueur.

Le jour du procès arrive enfin. La consigne que l'avocat des Lavigueur donne à ses clients est simple : ne parler à aucun journaliste. Mᵉ Manseau prévoit que les médias qui se pencheront sur cette affaire seront nombreux; la foule qui attend les gagnants, plus célèbres que jamais, sur les marches du Palais de Justice de Montréal lui donne raison. En effet, les attachés spéciaux d'*Écho Vedettes*, du *Lundi*, du *Journal de Montréal* et de toutes les publications concurrentes y sont. Les questions fusent, mais les Lavigueur ne bronchent pas. C'est à l'avocat de Louise que répondront Jean-Guy, Sylvie, Yve, Michel et l'oncle Souris.

La salle d'audience est comble. Le juge Maurice Archambault fait retentir le tribunal de quelques coups de marteau, suite à quoi les avocats des deux partis entreprennent d'exposer le cas de leurs clients. Les journalistes notent. Tour à tour, les cinq gagnants officiels doivent monter à la barre pour dire ce qu'ils ont déjà répété plusieurs fois à leur avocat. Les défendeurs s'entendent sur plusieurs points, notamment pour dire que la fille cadette était absente du domicile familial lorsque le grand événement s'est produit. Vient ensuite le tour de Louise de passer à la confesse publique.

La version de la plaignante diffère un peu. En fugue, c'est vrai. Mais Louise jure qu'elle a essayé de rentrer chez elle. «Y était tard, je l'admets… environ minuit. Mais j'suis revenue chez nous. J'avais pas les clés du logement, ça fait que j'ai sonné. On m'a jamais répondu.» Lorsqu'on demande aux Lavigueur de réagir à cette déclaration, Yve et Sylvie laissent sous-entendre que ce que raconte Louise est possible. Peu après le soir au cours duquel William Murphy s'est présenté la première fois au logement de la rue Logan, tous deux se souviennent avoir entendu sonner à la porte. Il était tard dans la nuit, tout le monde dormait dans la maison. Yve et Sylvie s'attendaient à ce que quelqu'un d'autre se lève pour répondre, mais tout le monde est resté bien confortablement au lit. On a sonné de nouveau. Sylvie s'est enfin décidée à aller voir qui était là, mais il était trop tard. En regardant par la fenêtre du salon, elle ne vit personne.

Les Lavigueur ne nient pas que les événements aient pu se produire ainsi; il ne considèrent toutefois pas que cela donne à Louise le droit d'obtenir sa part du gros lot.

«Mon père m'a dit que j'devrais faire mes propres arrangements funéraires parce que, à ses yeux, j'suis déjà morte !» témoigne Louise. «Quel genre de père dirait une chose pareille à sa fille !» Son avocat présente plusieurs arguments pour démontrer ce qu'il considère être «des efforts évidents pour exclure Louise de la famille» et pour faire ressortir que Jean-Guy Lavigueur a été «le principal collaborateur des machinations frauduleuses pour empêcher Louise de retirer sa part de 1,2 million de dollars à laquelle elle a droit». Puis, les accusations de toutes sortes se succèdent : la demanderesse affirme qu'elle avait peur de son père, capable des pires abus verbaux, et qu'elle était obligée de lui verser chaque

Le 1er avril 1986, les Lavigueur vont réclamer leur prix chez Loto-Québec, où de nombreux journalistes les assaillissent. Le cirque médiatique ne fait que commencer...

Dans l'ordre habituel: Yve et Sylvie Lavigueur; Jean-Marie Daudelin, William Murphy, Michel et Jean-Guy Lavigueur.

Aussitôt millionnaires, les Lavigueur s'empressent de faire un voyage en Guadeloupe pour célébrer. Quelques amis se joignent à eux, dont Ti-Marc Langlais, un collègue d'Yve qui a lui aussi gagné un montant important à la loterie quelque temps auparavant.

Dans l'ordre habituel: Michel, une amie de Sylvie, oncle Souris, l'amie de Jean-Guy et Yve; Ti-Marc Langlais et Jean-Guy Lavigueur. (C'est Sylvie qui prend la photo.)

À leur retour de Guadeloupe, une mauvaise surprise attend les Lavigueur. Ils apprennent avec stupéfaction que Louise, la benjamine, intente une poursuite aux millionnaires et exige qu'on lui verse la part du gros lot qu'elle dit lui être due. Après de nombreuses séances, les Lavigueur obtiennent un jugement partiel favorable à leur cause, et Louise laisse par la suite tomber le procès.

COUR SUPÉRIEURE

LE 26e JOUR DE JUIN 1986

SOUS LA PRÉSIDENCE DE L'HONORABLE JUGE CLAUDE BENOIT

LOUISE LAVIGUEUR,

    Demanderesse-intimée

c.

JEAN-GUY LAVIGUEUR,
SYLVIE LAVIGUEUR,
YVES LAVIGUEUR,
MICHEL LAVIGUEUR,
JEAN-MARIE DAUDELIN,

    Défendeurs-requérants

-et-

CAISSE POPULAIRE ST-VINCENT-DE-PAUL DE MONTREAL,
FEDERATION DES CAISSES POPULAIRES DESJARDINS DE MONTREAL ET DE L'OUEST DU QUEBEC,
LOTO QUEBEC,

Suite à la dispute judiciaire, Louise réintègre enfin le noyau familial. Pour cette photo, prise à l'occasion de Noël, toutes les rancunes ont été mises de côté et la famille est à nouveau réunie.

Dans l'ordre habituel: Sylvie et Yve; Michel, Jean-Guy et Louise Lavigueur.

semaine la moitié de son maigre salaire, avec lequel il s'achetait de la bière, des cigarettes et des quantités démesurées de billets de loterie. Cela ne devrait-il pas compter pour quelque chose dans sa réclamation ? Son avocat renchérit : selon lui, on n'aurait *pas* invité la jeune fille en Guadeloupe. Pire que tout, Jean-Guy n'aurait même pas prononcé le nom de sa fille aux journalistes lorsqu'on l'assaillait de questions le jour de la remise du prix. «On la traitait comme si elle n'existait même pas, Votre Honneur !» Pilon ne retient aucun coup : «Monsieur Lavigueur est incapable de lire, d'écrire ou de compter. Comment peut-on lui faire confiance pour gérer des millions de dollars ?»

Jean-Guy n'a d'autre envie que de se lever et crier à l'injustice. Il se rappelle pourtant les consignes de son avocat, qui lui demandait de rester bien calmement assis. Le protocole de la Cour lui est plutôt étranger. Ce juge vêtu de noir, tous ces hommes qui parlent admirablement bien et ces policiers qui gardent les portes, tout l'intimide au plus haut point. À un moment, il a même l'impression que l'objectif du procès est de le condamner, *lui*. Il se sent impuissant devant la machine de la Cour. «Écrase et ferme ta gueule !» s'ordonne-t-il, serrant les dents, les poings fermés. Toute sa vie, il a appris à se taire et à laisser les autres diriger les affaires. Aujourd'hui, son silence est plus pénible que jamais.

Son tour vient pourtant de raconter sa version des faits devant le juge. L'avocat de Louise le bombarde de questions, auxquelles Jean-Guy finit toujours par répondre : «Elle a pas payé sa part... Si tu payes pas, tu gagnes pas !» Pilon, qui croit avoir un atout dans son jeu, sourit avec confiance : «Votre Honneur, j'aimerais faire jouer un extrait d'enregistrement de propos tenus par monsieur Jean-Guy Lavigueur». Lors de la réception qui avait suivi la remise du prix, le journaliste Claude Poirier avait fait une entrevue avec le chef de famille, au cours de laquelle la question à savoir qui des membres de la famille allaient se partager le gros lot avait été posée. Le juge accepte que l'on fasse jouer la bande sonore. «Michel, Louise, Sylvie...» avait-il répondu ce jour-là, avant de se faire interrompre par une nouvelle question de Poirier. Jean-Guy est un peu mal à l'aise, mais réussit quand même à se sortir de l'embarras. «J'avais bu une couple de bières déjà, au moment de l'entrevue. J'faisais juste nommer mes enfants. Mais Louise a pas payé sa part... Si tu payes pas, tu gagnes pas !»

Aucun jugement ne sera rendu en ce premier jour. Lorsque toutes les personnes impliquées dans l'affaire ont parlé, la séance est levée. La partie est remise une première fois, et plusieurs débats sont à prévoir. On convoque tantôt la famille à comparaître, tantôt les avocats seulement. En tout, il faudra pas moins de trente-trois séances qui s'étirent sur deux mois et demi avant qu'un juge prononce une première décision !

❖

Un matin, les journaux traitent avec un brin d'humour un témoignage de Louise, qui devient aussitôt gênant pour la famille Lavigueur. La demanderesse parle encore de la mauvaise gestion de la fortune à laquelle on peut s'attendre de la part de son père : «Y a déjà dit que, si y venait à gagner le gros lot d'la 6/49, y s'achèterait un *truck* de Molson !» La salle d'audience a résonné de mille éclats de rire lorsque Louise a cité son père. D'ailleurs, toute la famille se souvient de cette déclaration de Jean-Guy qui, à la blague, avait dit cela. Jean-Guy n'a jamais sérieusement pensé à se commander un camion de bière – ne s'est-il pas satisfait d'une simple caisse pour célébrer le soir où il a appris qu'il était millionnaire ?–, mais cette remarque anodine lui vaudra pourtant la réputation d'être porté sur la boisson pendant bien des années.

Les lecteurs se régalent d'un potin aussi loufoque, ce qui inspire à nouveau journalistes et animateurs de radio. Une série de blagues sur cet épisode inonde soudain les ondes radiophoniques et la une de tous les journaux à potins, et le public en redemande. Certains interprètent mal cette histoire et sont convaincus que les Lavigueur ont *réellement* acheté un camion de Molson. Une rumeur absurde circule même dans le Faubourg à M'lasse, voulant que Jean-Guy ait stationné «son *truck* de bière» sur la rue Logan et qu'il ait laissé tous ses voisins se saouler lors d'une bruyante fête de quartier. La famille dément ces allégations ridicules, mais les cancans ne font que se poursuivre de plus belle.

On parle maintenant de la «saga» des Lavigueur, et l'on suit leurs déboires avec une attention fanatique. Les uns spéculent sur les prochains achats insensés de ces nouveaux riches – des achats pourtant fort raisonnables –, les autres prévoient leur banqueroute avant la fin de l'année. Le procès, qui semble s'éterniser, fait couler bien de l'encre et alimente les journaux à potins en médisance. De leur côté, les Lavigueur trouvent l'aventure de la richesse de moins en moins amusante.

Entre-temps, des amis leur apprennent qu'il est question d'eux dans le *Star* et le *National Enquirer*, deux importants tabloïds américains destinés au grand public. Selon les articles qui y sont publiés, il semblerait que des maisons de production hollywoodiennes aient été intéressées par les événements qui ont entouré le gain du gros lot faramineux. Une équipe complète de scripteurs et d'intervieweurs aurait même été mobilisée pour venir rencontrer la famille de millionnaires à Montréal! L'histoire *vraie* de ce père de famille, chômeur et désespéré, qui perd son portefeuille et qui le retrouve grâce à une âme charitable semble avoir donné l'eau à la bouche de quelques prospecteurs chargés de dénicher des scénarios potentiels. On renonce par contre à tourner un film sur les Lavigueur, probablement en raison du procès en cours. Les enfants sont un peu déçus d'avoir raté l'occasion de se voir personnifiés au grand écran. Jean-Guy, quant à lui, est soulagé qu'on n'ait pas insisté pour faire ce long-métrage, même s'il doute que la chose aurait même pu se produire. Pour tout dire, on parle déjà suffisamment d'eux à son goût.

Le 26 juin 1986, les Lavigueur ont droit au moins à une victoire morale : le juge de la Cour supérieure Claude Benoît lève toute saisie de la fortune des Lavigueur, jugeant que la créance n'est pas en péril. L'avocat des Lavigueur n'avait cessé de rappeler en séance l'inutilité de geler le million et quart que réclamait Louise, affirmant qu'il était insultant de croire que sa famille était capable de dilapider une telle somme avant le procès. Le juge a finalement déclaré que la demandeuse ne comprenait pas le sens des mots qu'elle utilisait pour incriminer sa famille. «Qui dit que les faits sont vrais doit nécessairement comprendre le sens des mots utilisés», a affirmé Benoît, ne croyant pas que la jeune fille savait de quoi elle parlait lorsqu'elle disait que son père allait «dilapider sa fortune». Les propos du juge, qui a ajouté que la jeune fille ne comprenait pas non plus le sens de «frauder», ne font rien pour encourager ses avocats : «Pour elle, ne pas la compter parmi les gagnants, c'est cela, la frauder !» Benoît assure pourtant les deux partis que la décision d'annuler la saisie n'aura aucune influence sur la décision finale du tribunal, qui devra encore décider si Louise a droit à sa part de la cagnotte. Même si, pour l'instant, les Lavigueur sont redevenus maîtres de *toutes* leurs finances, les frais de Cour commencent à peser lourd...

Si Louise en prend pour son rhume avec cette décision, le juge profite aussi de l'occasion pour réprimander son avocat pour avoir, selon lui, bien mal conseillé sa cliente dans toute cette affaire. Mais la jeune femme ne se fait pas démonter aussi facilement : elle menace maintenant d'en appeler de cette décision.

Puisqu'on lui a fortement suggéré de se retirer du dossier, Me Jean-Pierre Pilon ne soutiendra pas la cause une seconde fois. Le juge Bernard Gratton accorde dix jours au tuteur de Louise pour trouver un nouvel avocat pour porter le jugement en appel. Trudeau ne perd aucun temps : il approche Me Jean Bernier dans les jours qui suivent, mais ce nouvel avocat n'aura pas même le temps de se mettre au fait du procès. Coup de théâtre : au cours d'une conférence de presse donnée par Louise pour répondre aux nouvelles questions des journalistes, on apprend que la partie demanderesse renonce au projet avant le début des nouvelles poursuites. La jeune femme dit avoir discuté avec sa famille et affirme que le différend a été réglé à l'amiable. «Je regrette d'avoir traîné mon père, ma sœur pis mes frères dans toute cette affaire. Y a rien au monde de plus important qu'la famille, pas même l'argent !»

Avant de donner son accord à la nouvelle décision de sa protégée, Guy Trudeau dépose une demande à la Cour supérieure pour une réunion du conseil de famille des Lavigueur qui, selon lui, devra être tenue en présence d'un juge. Personne ne conteste sa prudence pourtant étonnante : «Disons que je la laisse renoncer à la poursuite et qu'elle rentre tranquillement chez elle. Il est vrai que tout peut reprendre son cours normal, mais qui m'assure qu'elle ne se disputera pas avec son père une fois de plus ? Si on la met à la porte dans trois mois, va-t-elle me coller un procès ? Vous savez, elle en est bien capable !»

Trudeau tient aussi à ce qu'on mette cartes sur table au sujet des conditions dans lesquelles Louise aurait accepté de réintégrer le noyau familial. Il semble que Jean-Guy et ses enfants auraient donné rendez-vous à Louise dans une salle privée à l'hôtel Sheraton de Laval, en l'absence de l'avocat et du tuteur de la jeune femme. Il n'était pas interdit que la famille parle à l'une des leurs hors Cour, mais Trudeau trouve un peu litigieux cette rencontre secrète...

Le 11 septembre, le juge Gérard Turmel, de la Cour supérieure, entérine une décision unanime du conseil de famille pour un arrêt total des procédures. En apprenant la nouvelle, Jean-Guy pousse un cri de soulagement en pleine salle d'audience : «Là, j'vas aller prendre une maudite bonne bière !» Un peu amer, Guy Trudeau demeure sceptique devant Louise qui affirme être satisfaite de la tournure des événements. «Elle a été profondément déçue par la décision rendue par le juge Benoît», déclare-t-il aux journalistes. «J'ai l'impression que ce premier jugement a sapé sa combativité.» Son intention n'est pourtant pas de réalimenter un feu sur le point de s'éteindre : Trudeau considère avoir perdu au-delà de quatre mille dollars en temps et en frais de Cour tout au long du procès. «Puisque j'ai été engagé sous l'aide juridique, je ne pourrai être payé à moins qu'il y ait un jugement», affirme-t-il, sur un ton sec. «Je ne recevrai donc pas un sou pour tous mes troubles, à moins que Louise me paie elle-même, ce que je doute arrivera !» De fait, maintenant que la tutelle de Louise ne le concerne plus, ce parent éloigné reprendra ses distances par rapport à la famille. Il présente d'ailleurs aussitôt une requête devant un tribunal pour se retirer de l'affaire.

«Merci de votre aide», a dit Jean-Guy aux seize membres du conseil de famille, un peu froid. «On va s'occuper d'elle nous-mêmes !» Louise peut effectivement rentrer chez son père, mais à condition qu'elle abandonne tout espoir de mettre la main sur une partie de sa fortune. Sa famille ne lui offre pas d'argent, il est vrai, mais ses frères et sa sœur lui ouvrent les bras en espérant qu'elle retrouve sa juste place parmi eux. On ne manque pas de rapporter dans les journaux que la paix règne à nouveau chez les Lavigueur. Mais même si les millionnaires ont repris leurs aises, Louise, elle, brûle toujours d'une jalousie noire. Seuls ses proches savent que, sous son sourire rassurant se cache une jeune femme aigrie par les derniers événements qu'elle perçoit toujours comme autant d'injustices à son égard.

L'histoire d'amour qu'elle entretenait avec un délinquant de la rue Logan en est à son terme, selon une des exigences de son père. Ses frères et sa sœur sont d'ailleurs comblés par la nouvelle. Même si Jean-Guy n'est pas moins heureux que les autres d'apprendre que sa chère «Loulou» semble avoir repris le droit chemin, il ne peut s'empêcher d'être sceptique quant aux bonnes intentions de sa fille. Le retour de Louise parmi les siens ne sera effectivement qu'une escale : après quelques courtes semaines au sein de sa famille, la jeune femme décide de quitter le logement et de voler de ses propres ailes. Sans qu'elle ne demande l'avis de qui que ce soit, sans même qu'elle ne donne de raisons précises pour son nouvel exil, Louise prend la clé des champs. L'emprise que son père exerce sur elle lui est toujours intolérable, comprendra-t-on plus tard. Plutôt que de se plier entièrement à son autorité, elle choisit de s'installer dans un nouvel appartement à Montréal. Elle fréquente un peu son ancien ami, au grand désespoir de tous, mais le quitte bientôt pour un autre, celui-ci beaucoup plus estimable. Michel Salois, mieux connu sous le nom de «Ti-Mi», se mérite rapidement l'amitié des frères et sœur de sa copine, et conserve celle-ci par le fait que, à leurs yeux, il prendra toujours grand soin de Louise.

Bien que Jean-Guy aurait préféré que sa famille demeure près de lui plus longtemps, il refuse de critiquer la décision de sa fille. «Qu'a fasse donc c'qu'à veut», se dit-il simplement. Une paix relative existe à nouveau entre les deux, et il ne tient pas à la compromettre encore.

Les sollicitations

Au cours des premières semaines suivant la remise de leur prix, les Lavigueur se sont faits solliciter plus d'une fois par des membres plus ou moins proches de leur famille, par des amis, de vagues connaissances et même de purs inconnus. Jean-Guy et ses enfants recevaient tantôt de la visite impromptue, tantôt des appels téléphoniques et du courrier par liasses épaisses.

Avec certains membres de leur famille immédiate, les Lavigueur se sont montrés généreux. Il leur était cependant impossible de donner suite à toutes les requêtes, encore moins celles de purs étrangers. À présent, les demandes sont plus importantes que jamais. Chaque matin, le facteur sonne à leur appartement de la rue Logan pour leur apporter des centaines de lettres. «Bonjour, monsieur Lavigueur. Aujourd'hui, vous avez deux sacs pleins !»

Trier le courrier non sollicité et les lettres attendues par la famille devient en soi une tâche colossale. Inutile de même songer à lire *toutes* les lettres ! C'est par un pur hasard que Jean-Guy découvre son portefeuille dans une montagne de courrier, quelque trois semaines après l'avoir perdu. Murphy disait donc vrai lorsqu'il affirmait l'avcir jeté dans une boîte aux lettres... Heureusement, tout y est, ou presque – selon une politique du service des postes, les dix-sept dollars qui s'y trouvaient ont été remplacés par un mandat-poste. Jean-Guy a toutefois retrouvé ce qui lui était le plus cher : les photos de sa famille, dont celles de sa femme, des deux filles qu'il a perdues, et la seule qui existe de son père.

Les sollicitations par téléphone sont tout aussi nombreuses que celles par courrier : un numéro confidentiel devient bientôt essentiel. Les Lavigueur songent même à quitter le Faubourg à M'lasse, dans lequel ils ont passé tant d'années et connu des joies et des peines qu'ils ont partagées avec des gens qu'ils connaissent depuis toujours et qu'ils considèrent être de la famille. Leur popularité leur pèse un peu en ce moment, et un exil loin de cette agitation fréquente leur sourit. En gagnant cet argent qu'ils espéraient tant, les Lavigueur auront perdu leur cher Faubourg à M'lasse.

CHAPITRE CINQUIÈME

Le château des Lavigueur

Les Lavigueur quittent le Faubourg à M'lasse

Lorsque sa femme était toujours en vie, elles n'étaient pas rares les fois où Jean-Guy et elle entassaient leurs enfants dans la voiture pour aller faire une promenade sur l'île de Laval. Gilles Daudelin, un des frères de Micheline, habite à la Terrasse d'Auteuil, au nord de Montréal, depuis des années. Sa maison était autrefois un simple chalet – celui-là même où la famille Daudelin séjournait pendant leurs vacances –, qu'il a rénové pendant des années jusqu'à en faire une bien respectable demeure. Chaque fois qu'ils rendaient visite à l'oncle Gilles, les Lavigueur avaient droit à un accueil chaleureux et une journée de plaisir dans une atmosphère des plus conviviales.

À la fin du procès intenté par Louise, la famille décide qu'il est temps d'aller saluer ce beau-frère qu'ils portent toujours dans leur cœur. Celui-ci n'aspire aucunement à une part de leur fortune, mais craint secrètement que les relations qu'il entretient avec les enfants de sa sœur ne dépérissent en raison de leur nouveau mode de vie. Leur père, quant à lui, n'entend pas les laisser négliger les membres de leur famille étendue, peu importe ce qui leur est arrivé au cours des dernières semaines.

En route, sur le boulevard des Mille-Îles, Jean-Guy entrevoit un chalet qui domine un vaste terrain. Il s'y arrête puis, sans dire un mot aux autres, sort de sa voiture. Une pancarte frappée des mots «À louer» et d'un numéro de téléphone semble avoir attiré son attention. Lorsqu'il reprend le volant, les passagers l'interrogent du regard. Il leur demande, un sourire pincé aux lèvres : «Que c'est qu'vous diriez de ça si on s'éloignait un peu d'la ville ?»

Sylvie, Yve, Michel et leur père avaient discuté plusieurs fois d'une maison qu'ils achèteraient sous peu, à l'écart de la ville, mais chacun avait des réserves sur l'achat définitif d'un domaine dans un quartier mal connu. Laval se situait premier dans leurs choix d'emplacements, mais plutôt que de se porter acquéreurs d'une maison dans des délais trop serrés, pourquoi ne pas en louer une pour déterminer si l'endroit leur convient ?

Le lendemain, Sylvie assiste son père dans quelques négociations avec le propriétaire, puis Jean-Guy loue le chalet pour l'été au complet. Enfin, se disent-ils, ils pourront décompresser et respirer un peu. En effet, depuis leur retour de la Guadeloupe, deux mois plus tôt, les choses n'ont cessé de se bousculer. Dès les jours qui suivent, Michel, Yve, Sylvie et Jean-Guy entreprennent donc un nouveau déménagement, qui ne se fera cette fois-ci pas à l'intérieur même de la rue Logan. Louise, quant à elle, n'en fera pas partie puisqu'elle a déjà quitté le foyer familial et ne compte pas le réintégrer de sitôt.

Des amis et des cousins viennent prêter main-forte à Yve, qui se charge de faire transporter tout ce qui se trouve dans leur logement de la rue Logan. «On va faire le tri de c'qu'on veut ou veut pas garder lorsqu'on va avoir emménagé», décrète-t-il, soucieux de ne perdre aucun temps. Chacun sait qu'on devra se débarrasser de quelques meubles trop abîmés, de vêtements relégués aux oubliettes depuis longtemps et de nombreuses choses qui ne servent plus à rien. Seulement, les Lavigueur ne tiennent pas à encombrer les trottoirs de la rue Logan de bribes de leur passé : la simple image de leurs voisins se servant allègrement de ce qu'ils laisseraient derrière les font frémir.

Même s'il n'est pas parfait, le chalet qu'ils louent leur convient pour l'instant. L'endroit a été mal entretenu au cours des dernières années. On ne se formalise pas trop des pièces délabrées, des planchers raboteux ou des murs qui tombent en mille morceaux. Le terrain est vaste, l'atmosphère est paisible, et la famille passe un été splendide dans une ville qu'elle adopte bientôt comme la leur. Malheureusement, un chalet reste un chalet, et celui-ci n'a pas été conçu pour résister au froid mordant des hivers québécois : il faut absolument trouver un autre endroit où habiter avant la fin de l'automne.

Avant de remporter le gros lot, on le sait, toute la famille habitait sous le même toit. Dans l'esprit des gagnants, il n'est pas question que chacun parte aussitôt de son côté en raison de leur nouvelle situation financière. L'oncle Souris, qui vivait dans le logement en dessous du leur, s'est récemment installé à Saint-Ours, une ville qu'il a toujours beaucoup affectionnée. Là, dans cet eldorado de la tranquillité où il passe ses vacances chaque année à faire du camping, il s'est fait installer une modeste maison mobile sur un terrain spacieux, et dit y vivre plus heureux que jamais. Le beau-frère de Jean-Guy restera toujours proche de ses neveux et nièces, mais ne les verra plus aussi régulièrement. Sylvie, Yve, Michel et leur père, eux, ne veulent pas se perdre de vue aussi promptement.

Tout le monde s'entend pour demeurer à Laval, sur cette île gigantesque à l'écart de l'activité urbaine, mais quand même à proximité de tous les services, où ils espèrent pouvoir être heureux pendant plusieurs bonnes années. Les quatre millionnaires acceptent d'investir leur juste part dans un domaine à la hauteur de leurs moyens, ce qui ouvre la porte à des possibilités bien au-delà de leur imagination. Seul Michel ne participera pas tout de suite au financement de la maison : il n'a que quinze ans et, comme c'est le cas pour la plupart des enfants de son âge, son père subviendra à ses besoins primaires pour les prochaines années. Lorsqu'il sera en plein droit de décider de ce qu'il veut faire de son argent, on lui demandera d'investir à son tour dans la demeure.

En se promenant un peu partout dans la ville, les uns et les autres notent différentes adresses de domiciles qui leur paraissent intéressants. Plusieurs occasions sont enthousiasmantes, mais aucun coup de foudre ne les fait s'arrêter sur une décision avant quelques semaines…

Un soir, alors que tout le monde se détend sur la véranda du chalet, le chef de famille partage avec les autres une nouvelle qui les fait bondir de leur siège. Jean-Guy est fier de l'effet qu'il vient de produire. En fait, il se doutait bien de la frénésie dont ses enfants allaient être pris en leur annonçant que «le château de leur mère» était à vendre.

Le château de l'Île aux Pruches

Autrefois, lorsqu'ils rendaient visite à l'oncle Gilles, ils passaient souvent devant une énorme résidence qui, de semaine en semaine, devenait toujours plus belle. Les

Lavigueur avaient vu ce château se faire construire sur ce qu'on appelle «l'Île aux Pruches», en l'honneur des hauts conifères qui parsèment la région. Ils en ont vu la finition, l'embellissement continuel, tant de l'édifice que du terrain sur lequel il trônait, et depuis ce temps, ils n'ont jamais raté une occasion de s'y arrêter pour l'admirer un peu.

Chaque fois que Micheline le voyait, elle s'exclamait tout haut : «Un jour, on va avoir un château comme celui-là, nous autres !» On la laissait rêver puis, de temps en temps, se laissait prendre au rêve aussi. Aujourd'hui, le château cherche à accueillir de nouveaux propriétaires; peut-être est-ce l'occasion pour les enfants de donner raison à leur mère une dernière fois ?

La maison qui les fait tant rêver est un véritable manoir de grand luxe. Ses parois sont construites en pierres de taille importées d'outre-mer, et forment une demi-douzaine de structures – telles des logis individuels –, qui semblent rattachées les unes aux autres comme s'il s'agissait d'une gerbe de maisons de ville. Chacune de ces constructions est couverte d'une haute pyramide qui fait figure de toit et donne au domaine un style champêtre, sans pour autant trahir l'air de prospérité qui s'en dégage. L'île est encerclée par les branches de la rivière des Mille-Îles. Un charmant ponceau la relie à l'île de Laval – Saint-François-de-Laval, plus précisément –, rappelant les ponts-levis qui gardaient jalousement les châteaux des monarques au Moyen Âge. Des dizaines d'arbres embellissent le terrain aussi, ombrageant à souhait une partie de sa surface et donnant à quiconque s'y promène l'impression qu'il se trouve dans les forêts du château de Versailles. Ses résidents y vivent sûrement une vie de roi. Mais qui donc pourrait bien habiter un tel château ?

Les premiers propriétaires – ceux qui l'ont fait construire –, possèdent également les pépinières Saint-Vincent-de-Paul, l'une des plus importantes corporations d'arboriculture au pays. Bien que leur fortune ne reste plus à faire, la famille Thibault demande pas moins de 850 000 $ pour la propriété, malgré une évaluation municipale qui y attribue une valeur bien inférieure. Le domaine a fait l'objet d'une mise en marché ambitieuse : des photos, des courts-métrages et des feuillets descriptifs ont été envoyés un peu partout au pays et jusque dans certains consulats d'Europe. Les cinq dernières années d'efforts de vente n'ont pourtant pas valu à Jean-Paul Thibault de trouver preneur, même s'il semblerait qu'un joueur de hockey bien connu et un animateur de radio aient montré de l'intérêt pour l'Île aux Pruches à une époque...

Les Lavigueur, eux, n'hésitent pas. L'offre d'achat qu'ils déposent est acceptée aussitôt, et la transaction de 850 000 $ devant notaire n'est plus qu'une formalité. La somme paraît astronomique, mais en n'ayant chacun que le quart de ce montant à payer, l'investissement intéresse vivement les Lavigueur. De fait, par l'entremise de Nicole Hamel, une agente immobilière fortunée, Jean-Guy,

Sylvie et Yve se portent acquéreurs du resplendissant «château».

Les Lavigueur achètent l'Île aux Pruches au grand complet. Chacun de ses onze acres de terrain leur appartient désormais, sans oublier la résidence principale et une maison canadienne plus petite située à quelques centaines de pieds de la première. Ce deuxième logis, que l'on baptise aussitôt «la maison du jardinier», est déjà occupé. Monsieur Roux y habite avec son épouse et leur enfant, et tous les trois entendent demeurer sur place encore un certain temps. Cela convient d'ailleurs tout à fait aux nouveaux propriétaires, qui utiliseront les profits de cette location pour payer une part des quinze mille dollars de taxes municipales annuelles que coûte un domaine comme le leur. Eux qui ont toujours été de simples locataires, les voilà maintenant qui encaisseront à leur tour un loyer. Ils espèrent seulement que leurs nouveaux locataires ne leur causeront pas trop de soucis !

En septembre 1986, cinq mois après avoir remporté le gros lot, toujours premier en importance au pays, les Lavigueur emménagent dans leur château. Chacun tombe aussitôt en amour avec leur nouveau chez-soi. Et comment cela peut-il en être autrement ? Toute leur vie, ils ont vécu dans un appartement, spacieux, soit, mais toujours limité à un seul étage et pris entre deux autres logements. De plus, leur logement sur la rue Logan datait de plusieurs années; si les constructions du début du siècle sont robustes et offrent un cachet qui ne manque pas de charme, les Lavigueur se réjouissent de leur habitation neuve, ultramoderne, des dix-sept immenses pièces qu'ils occupent à présent, du foyer, du bain sauna et du majestueux escalier qu'ils empruntent pour aller vers leurs chambres à coucher princières.

Avant ce nouveau déménagement, ils se sont départis de plusieurs de leurs anciens meubles et de foule de bibelots qui ne cadraient plus avec leur nouveau mode de vie. D'autres possessions qui leur tiennent toujours à cœur les ont suivis jusqu'au château, tel que le mobilier de cuisine qui leur avait été offert par un prêtre, vieil ami de la famille, alors qu'ils connaissaient des moments plus difficiles. «C'te table-là, dit Jean-Guy, j'vas toujours la garder, que j'sois riche ou pauvre !» Ils conservent ainsi plusieurs de leurs biens d'autrefois, même s'ils se savent en moyen de tout remplacer par du nouveau. Après tout, avec toutes les pièces qui restent à meubler, on peut se permettre de sauver des oubliettes tout ce qui peut avoir quelque valeur, monétaire ou sentimentale, sans même *menacer* d'encombrer l'endroit.

Divers achats importants s'imposent, tels que des fauteuils et divans pour agrémenter leur majestueux salon, sans oublier la télévision à écran géant à laquelle rêve Jean-Guy depuis un bon moment (même s'il affirme que «c'est pour les enfants» !) Aussitôt emménagé, le père de famille fait le tour des pièces dégarnies et détermine avec ses enfants les morceaux à acquérir pour les meubler adéquatement. L'achat des pièces manquantes se fera en un seul après-midi : après tout, lorsqu'on a les moyens, il ne sert à rien de marchander et de faire le tour des magasins pour trouver le meilleur prix ! Ils ne feront cependant pas de folles dépenses, et chaque nouveau meuble a une fonction pratique, qu'il s'agisse d'une nouvelle laveuse ou de chaises pour la salle à manger.

Côté décoration, l'endroit leur convient globalement. Les arrangements modestes desquels ils se sont contentés pendant toute leur vie ne se mesurent même pas à ceux choisis par l'ancien propriétaire du domaine. La chambre des maîtres est immense et comprend une alcôve circulaire où un lit de la même forme trône. Une porte-fenêtre donne sur un balcon et un tapis moelleux couvre la pièce d'un mur à l'autre. La chambre communique d'ailleurs avec une salle de bain privée, en céramique bleutée, dans laquelle se trouve un magnifique bain tourbillon. Les enfants s'en réjouissent : ils n'en ont jamais essayé un !

La cuisine a pour sa part un aspect extrêmement chaleureux, avec ses armoires laquées noires et les murs peints d'un rouge sombre. Plusieurs pièces, dont la salle à manger, ont un plancher de tuiles, ce qui donne un air frais et propre à toute la propriété. Les Lavigueur ont aussi accès à un foyer, à une salle de lavage plus grande que la chambre des parents du logement de la rue Logan et à un sauna privé, ce qui, pour eux, est le comble du luxe.

Les Lavigueur apporteront quelques modifications à l'aménagement de différentes pièces, mais ne chercheront pas trop à améliorer ce lieu qui est de loin le plus fastueux qu'ils aient habité, *visité* même, dans leur vie. Quiconque d'entre eux souhaite apporter quelque changement dans la demeure n'a qu'à en aviser les autres puis, naturellement, en assumer les frais et la supervision.

La vie de millionnaires se poursuit

Les médias n'entendent pas passer sous silence l'importante acquisition de leurs «nouveaux riches» favoris. On publie dans différents journaux des articles décrivant de fond en comble ce qu'on baptise «le château des Lavigueur». Des photographies de la maison submergent les magazines populaires, les émissions d'humour s'en donnent à cœur joie une fois de plus, et des commentaires peu flatteurs à leur sujet circulent.

Les médias et les mauvaises langues laissent entendre que la famille Lavigueur cherche, avec l'acquisition de ce domaine, à en mettre «plein la vue». «Pourquoi se sont-ils associés pour se procurer une maison aussi monumentale ?» demande-t-on. «Nous le savons bien qu'ils sont riches… ce n'est pas la peine de le rappeler de cette façon !» Selon plusieurs, l'achat de leur domaine serait un geste impulsif, irréfléchi même ou, pour les plus pessimistes, le début du déclin des Lavigueur. Rien ne saurait pourtant être plus loin de la réalité puisque, pour eux, la raison principale ayant motivé leur déménagement est justement leur désir de se tenir loin du cirque médiatique engendré par leurs aventures.

Les principaux intéressés qualifient de gratuits, méchants et grossiers ces commérages. Tous les quatre considèrent avoir agi en toute bonne conscience en se procurant cette maison, et loin d'eux l'intention de parader leur richesse. Ils voulaient simplement s'isoler et avoir un peu de tranquillité, et voilà que leur achat se retrouve au premier plan des actualités. C'est bien certain que, s'ils ne s'étaient pas mis tous ensemble pour acheter ce domaine, ils n'auraient pas pu se le permettre. N'est-ce pas ainsi qu'ils les ont gagné, leurs millions, tous ensemble ? Pourquoi ce reproche ? Aurait-on oublié que la famille a toujours habité ensemble ? A-t-on même considéré que deux des enfants Lavigueur sont toujours mineurs et que les deux autres viennent tout juste d'atteindre l'âge adulte ? Que l'on critique une famille qui choisit de rester unie, une famille dont chacun des membres joint son avoir pour *investir* dans un foyer qui sera le leur et dans lequel tous continueront à habiter ensemble, leur est plus difficile à accepter.

Malgré ce nouveau vacarme médiatique qui les prend, encore une fois, par surprise, les Lavigueur décident de faire «contre mauvaise fortune bon cœur» et la belle vie reprend son cours au château. C'est une vie de pachas, de rois qui n'ont d'autres soucis que leur propre bien-être. Avec un domaine aussi immense vient toutefois la responsabilité de son entretien. La famille se partage à peu près toutes les tâches, mais on constate bientôt que l'entretien d'une maison aussi vaste exige les soins de quelqu'un de l'extérieur. C'est Lucie Daudelin, une tante des enfants, qui accepte le contrat d'entretien et qui se charge des menus travaux domestiques – époussetage, nettoyage, balayage et lavage – qui doivent être effectués sur une base régulière. Yve et Michel tiennent à s'occuper eux-mêmes de tondre la pelouse à l'aide d'un tracteur, activité à laquelle ils s'adonnent toujours avec le plus grand plaisir.

Leur terrain est plus immense encore que celui qu'ils avaient loué pour l'été, ce qui accentue le calme et la sérénité de leur retraite. De plus, l'accès y est assez limité, même pour les voisins de la famille qui, par ailleurs, ont accueilli très chaleureusement les nouveaux arrivants dans leur secteur. Les quémandeurs, qui étaient légion au cours de leurs derniers jours dans le Faubourg à M'lasse, se font beaucoup plus rares aujourd'hui. Le courrier est toujours abondant mais, au moins, on ne sonne plus à leur porte dans l'espoir de récolter une aumône prodigieuse. La paix n'est pourtant pas complète : de nouveaux solliciteurs les approchent maintenant sous forme de colporteurs, de conseillers en placements et de représentants de toutes sortes. Les Lavigueur ne donnent pourtant suite que très rarement aux demandes, tant du grand public que des différentes sociétés en manque d'investisseurs.

Pourquoi sont-ils réticents à envoyer quelques dollars du côté des gens défavorisés ? D'abord, parce qu'ils n'ont jamais approché des familles plus fortunées que la leur dans l'espoir qu'on leur prête main-forte lorsqu'ils étaient eux-mêmes dans le besoin. D'autres avant eux ont gagné des sommes importantes à la loterie; ces derniers ont-ils répondu aux centaines de requêtes réitérées de purs inconnus ? Il ne faut cependant pas croire qu'ils ne font preuve d'aucune charité. En fait, plusieurs membres de leur famille plus ou moins immédiate, du moins ceux avec qui les relations étaient déjà conviviales avant le fameux tirage, ont droit à un coup de pouce des millionnaires.

Par ailleurs, pourquoi les Lavigueur ne se lancent-ils pas dans l'entreprise privée ? Pourquoi ne s'aventurent-ils pas dans quelques investissements pas trop risqués ? À vrai dire, leurs connaissances du monde des affaires sont assez restreintes. Jean-Guy, Sylvie et Yve se sentent toujours assiégés par ces «honnêtes» courtiers à qui ils accordent parfois la chance de «vendre leur salade». Dès qu'on leur propose une occasion d'affaires, ils donnent au solliciteur les coordonnées de leur notaire, Alain Picard, qu'ils ont connu dès leurs premières heures en tant que millionnaires. Celui-ci filtre les propositions qu'il juge inintéressantes et transmet à ses clients celles qui lui paraissent être véritablement vouées à un quelconque succès. Les Lavigueur sont néanmoins peu enclins à faire des investissements. Plutôt que d'acquérir des parts dans une entreprise de distribution d'appareils électroménagers, plutôt que de financer la construction d'un aéroport privé et plutôt que de se faire actionnaire minoritaire d'une chaîne de restaurants, c'est vers la banque tout simplement qu'ils se tournent pour faire fructifier leur avoir.

Être un enfant millionnaire

Devenir millionnaire soudainement, comme ce fut le cas pour les Lavigueur, entraîne des remises en question et des changements inévitables dans le parcours d'une vie. Par exemple, les enfants Lavigueur choisissent de renoncer à leurs études. À la polyvalente Pierre-Dupuis, tout près d'où les Lavigueur habitaient autrefois, les camarades de Michel sont impatients de voir revenir parmi eux le nouveau millionnaire adolescent. Plusieurs ne le reverront pourtant pas. Michel, qui n'a que quinze ans, a abandonné l'année scolaire en cours, trouvant trop pénible de rester assis à écouter des professeurs alors qu'il pourrait mener la belle vie, comme son frère et sa sœur. Pour Michel, être millionnaire a effectivement tout changé. Il se voit difficilement réintégrer son ancienne vie, déambuler dans les corridors de l'école comme le plus commun des mortels, surtout parmi ceux qui ont partagé ses années de jeunesse, «avant». Jean-Guy essaie de se convaincre que l'avenir de son fils est assuré grâce au capital qui l'attend dès ses dix-huit ans. Le peu d'instruction du cadet de la famille ne l'inquiète pas trop : pour lui, l'essentiel est que tous ses enfants sachent lire, écrire et compter.

À l'automne 1986, on inscrit pourtant «Ti-*Prout*» à la Polyvalente Gérard-Leblanc, à Laval. Un autobus scolaire se rend chaque matin jusqu'à l'entrée du château pour prendre son illustre «client» et le conduire vers l'école du quartier. Son retour en classe sera de courte durée : avant la fin de la nouvelle année scolaire, Michel abandonne ses cours une fois de plus. Somme toute, il se satisfera de sa deuxième année de secondaire et ne remettra plus les pieds à l'école. «Je veux devenir avocat !» clamait-il haut et fort il y a moins d'un an. Il ne sera jamais admis à la Faculté de droit d'aucune institution. Peut-être est-ce le long procès dans lequel il s'est trouvé contre sa sœur qui lui a fait changer d'idée...

Le retour à la normale se fait difficile pour tous. Chacun se voit dans l'obligation de renoncer, de rejeter même, ce qu'il faisait avant.

Sylvie aussi a laissé tomber ses études collégiales lorsque la fortune lui est tombée entre les mains. Même si elle n'a pas complété sa session d'études en sciences humaines, elle compte toutefois retourner au Cégep d'ici peu. Elle est la seule qui s'inscrira à l'université, où elle suivra des cours de psychologie et de droit avant de se concentrer sur une carrière d'agente en immobilier. Pour l'instant, elle n'entend plus retourner au centre hospitalier Saint-Georges, où elle travaillait à temps partiel pour payer ses études.

Yve, quant à lui, avait déjà terminé ses études secondaires lorsque sa famille a gagné le gros lot. Il s'était inscrit dans un programme de tronc commun en mécanique automobile en quatrième secondaire, et il ne lui restait qu'à obtenir ses crédits de cours d'anglais pour avoir droit au diplôme ministériel. Malheureusement, il ne s'était senti ni le courage ni le désir de faire le nécessaire pour obtenir cette attestation d'études. Plus tard, grâce à des équivalences calculées selon son expérience professionnelle, Yve sera admis au Conservatoire Lasalle en Sciences de la parole pour quelques sessions, sans qu'il ne consacre sa vie à ce nouveau choix de carrière.

Le gros lot que les membres de sa famille ont gagné n'aura rien changé dans le cheminement scolaire de Louise. Elle était sans le sou lorsqu'elle a abandonné ses études, après sa troisième année au secondaire. Après le procès, alors que Louise réintègre temporairement la famille, Jean-Guy offre de lui payer des études, peu importe le champ de spécialisation qui l'intéresserait. Sa fille choisit pourtant de ne pas profiter de cette occasion, ayant perdu beaucoup de ce zèle et de cette détermination qui faisaient d'elle une adolescente forte et opiniâtre.

Un an après le gros lot

Vers le milieu du mois de décembre 1986, le froid mord à pleines dents sur la province. Les décorations du temps des fêtes ont envahi les centres commerciaux depuis près d'un mois, et l'on n'attend même pas la première tombée de neige pour enjoliver les maisons de toutes sortes de lumières et décorations diverses. Une année importante s'achève pour les Lavigueur, une année qui leur a permis d'échanger leur monde pour un autre, dans lequel les possibilités sont plus vastes, mais dans lequel aussi les attaques et les mauvaises surprises sont plus courants.

Un soir, alors que les quatre millionnaires se mettent à table pour souper, ceux-ci ressassent les principaux événements des douze derniers mois. Péripéties et coups de théâtre se sont succédés, si bien qu'on pourrait facilement en écrire un scénario de film, lequel serait à peine croyable ! Le portefeuille perdu et retrouvé, la folie des médias, le voyage, le procès de Louise, le déménagement… Les Lavigueur en perdent le souffle, et se félicitent de ne pas en avoir perdu le nord. Quelques semaines plus tard, ils constatent qu'ils ne sont pas les seuls à faire un saut vers l'arrière pour remâcher les épisodes de l'année qui prend fin…

Chaque 31 décembre, environ une heure avant le nouvel an, la télévision de Radio-Canada présente son fameux *Bye-Bye*, une émission qui parodie les hauts faits de l'année à laquelle on fait ses adieux. Des annonces pour ce programme spécial apparaissent au petit écran quelques jours avant sa télédiffusion. On parle des animateurs de l'édition 1986, des invités spéciaux et de quelques saynètes auxquelles le public peut s'attendre. Les Lavigueur ne seront pas épargnés : l'équipe du *Bye-Bye* prépare un sketch dans lequel des membres d'une famille millionnaire – *leur* famille – seront mis en scène pour le bon plaisir de centaines de milliers de téléspectateurs.

Une chose à laquelle ils ne s'habitueront jamais, c'est d'être tournés en ridicule, et les moqueries incessantes dont ils sont l'objet n'aident pas leur cause.

Vers 23 h, en la veille du jour de l'an 1987, Jean-Guy, Sylvie, Yve et Michel sont braqués devant leur télévision à écran géant. Quelle mise en situation exagérée va-t-on leur servir cette fois ? Les faits saillants de l'année qui s'achève défilent devant leurs yeux. Aussi amusants que puissent être les premiers numéros, les Lavigueur ne parviennent pas à rire franchement. L'angoisse du spectacle qui les attend, peu flatteur, selon ce qu'ils s'imaginent, les tient sur leurs gardes. Puis, entre deux réclames publicitaires, leur cauchemar se concrétise : leurs «alter ego» font leur numéro.

Un drôle de type, grand amateur de bonne bière, personnifie Jean-Guy. Le scénario est simpliste : un homme, devenu riche soudainement, est aux prises avec un conflit avec sa fille. «Lave le plancher», crie-t-il, enivré par la bière qu'il ingurgite sans arrêt, à son enfant, une caricature de Louise sans doute, qui joue les cendrillons malheureuses. La scène suggère que les Lavigueur – car c'est bien d'eux que l'on se moque – ont gagné une somme considérable à la loterie tout en privant injustement Louise de sa part du lot. C'est une grossière interprétation de l'événement, mais qui, en somme, est assez proche de la vérité. Si quelques blagues arrivent à faire sourire les résidents du château, le spectacle n'en est pas moins offensant.

À minuit, les Lavigueur se souhaitent la bonne année, tout comme le font d'innombrables familles un peu partout dans le monde. Tous les quatre essaient d'ignorer la parodie qu'on a faite d'eux, espérant qu'elle sera le point final aux moqueries à leur égard. Ils se sentent même honteux lorsqu'ils songent que leur famille et leurs amis ont sûrement vu cette caricature peu flatteuse. Il est difficile de garder la tête haute parmi les siens lorsque les médias se moquent ouvertement de vous... Chacun se doute pourtant qu'on rira à leurs dépens quelque temps encore !

À la même époque, la famille apprend, grâce à des réclames publicitaires à la télévision, qu'elle sera à nouveau la cible de moqueries puisqu'une nouvelle caricature de leur célèbre famille est en préparation. Cette pub vante les points saillants du magazine humoristique *Croc* et annonce qu'une bande dessinée mettant en vedette les «Ravibreur», un clan de vulgaires millionnaires «imaginaires», fera partie de sa prochaine édition. Les enfants, Michel et Yve surtout, ont toujours apprécié les gags cinglants de la revue *Croc*; c'est évidemment toujours plus drôle quand c'est d'un autre qu'on se moque. Ils s'empressent tout de même de se procurer ce numéro *très* spécial dès sa parution; ils n'en sont pas plus impressionnés que par la parodie du *Bye-Bye*.

Que veut-on signifier au juste par «Ravibreur» ? Aurait-on simplement agencé n'importe quelles syllabes pour en faire un nouveau nom qui rappelle vaguement celui devenu célèbre en avril dernier ? Transposerait-on odieusement la qualité de «vigueur» vers le qualificatif quasi obscène de «vibrateur» ? «Rats-vibreurs» serait-il l'image que veulent suggérer les éditeurs du magazine ? Qu'il s'agisse d'un jeu de mots ou d'une onomatopée, le clin d'œil ne les fait pas sourire. La première aventure n'est pas trop offensante; on espère seulement qu'on ne tombera pas dans une vulgarité insultante avec les prochains numéros.

Croc semble connaître un succès certain avec ses Ravibreur. Une nouvelle scène est illustrée avec chaque parution, et la famille dont on s'inspire pour créer les bandes dessinées trouve de moins en moins divertissants ces gags qui sombrent rapidement dans le grossier et l'absurde. Même si Jean-Guy apprécie toujours une bonne bière au courant de l'après-midi ou de la soirée, il n'est tout de même pas l'alcoolique qu'on représente dans le magazine. De plus, on ne se gêne même pas pour nommer les personnages par leur prénom réel : d'abord Jean-Guy et Louise, puis les autres, sans effort aucun pour respecter l'intimité de leurs cibles.

«Ça 'pas de raison d'exister», disent les principaux intéressés lorsqu'on leur demande ce qu'ils pensent de ces aventures satiriques. «C'est gratuit, c'est injuste, pis c'est très blessant.» En effet, les Lavigueur n'ont jamais fait de mal à qui que ce soit. Pourquoi les attaque-t-on ? On les représente comme étant des sans-cœur, des parvenus égoïstes et près de leurs sous; on dit même de Jean-Guy qu'il a toujours été un assisté social alors qu'il a gagné son pain à la sueur de son front presque toute sa vie. C'est vrai qu'il est passé bien près d'être à la charge de l'État, mais puisque cela ne s'est pas produit en fin de compte, pourquoi insister ? La pilule est difficile à avaler, mais les Lavigueur se sentent impuissants. Leur avocat leur déconseille toute poursuite, affirmant que ces démarches seraient médiatisées et qu'elles leur nuiraient davantage. Il leur suggère d'attendre que tout cela passe, promettant que, d'ici peu, leur aventure sombrera dans l'oubli et qu'ils ne seront plus la cible des sarcasmes du public. Les Lavigueur devront pourtant endurer ces affronts sur une base mensuelle pendant près de deux ans.

CHAPITRE SIXIÈME

Les moins bons côtés de la richesse

Au cours de ses premières années passées en retrait dans son château, Yve en arrive à trouver pénible sa nouvelle vie solitaire. Il faut comprendre qu'il n'a connu pendant ses dix-huit ans en ce monde que la jungle métropolitaine, le vrombissement d'une grande ville qui ne ferme jamais l'œil et dans laquelle il ne s'agit que de tendre le bras pour toucher un peu d'aventure. Dans le Faubourg à M'lasse, il y avait toujours quelqu'un à saluer, des gens à qui venir en aide, des amis à qui confier ses pensées et ses problèmes. Le calme, la tranquillité du secteur qu'il habite lui pèse lourd. Bientôt, un ennui intolérable vient le harceler.

Son compte en banque bien garni lui permet de s'initier à différentes activités, dont le golf, qu'il apprécie par-dessus tout. Cependant, une morosité diffuse, une lassitude tenace le suit continuellement. Dès qu'il se retrouve seul, dès qu'il a le moindre temps libre, l'angoisse de son désœuvrement ne cesse de le tenailler et lui indique le chemin de la dépression.

La décadence de Louise

Yve rend visite à sa sœur Louise sur une base régulière pour prendre de ses nouvelles et voir à ce que tout aille bien. Chaque fois qu'elle lui ouvre la porte, elle trouve son grand frère avec un large sourire au visage et les bras chargés de sacs d'épicerie. «À 'soir, ma Loulou», lui dit-il avec complicité, «on va s'payer une bonne bouffe ensemble !» Les moments qu'il passe avec Louise lui sont chers, et cela le peine terriblement que les différends entre elle et le reste de sa famille la fassent rester à l'écart.

À un moment, Jean-Guy, Sylvie, Yve et Michel décident de se cotiser et de payer une année complète du loyer de l'appartement qu'elle et son copain louent à Montréal. Louise apprécie le geste, mais cela est loin de suffire pour «passer l'éponge» sur les événements des dernières années. Son père lui a dit mille fois : «Tu vas toujours être la bienvenue sous mon toit, mais y va falloir que tu te plies à mes règlements, comme tes frères et sœur !» Cette soumission ne l'intéresse pas; la fille prodigue tient à conserver ce qu'elle considère être «sa liberté».

Yve se plaît à l'adresse montréalaise de sa sœur, qui devient rapidement pour lui un pied-à-terre en ville. Ses visites hebdomadaires chez Louise et Ti-Mi se transforment parfois en vacances prolongées, ce qui lui permet de renouer avec la vie plus mouvementée qui lui manque de plus en plus. Parfois, plutôt que de partir de chez elle pour revenir à son île, il fait un bond chez un copain, le gâte un peu en échange de son hospitalité, puis revient chez sa sœur passer un peu de temps encore. À un moment, Yve est si rarement au château de l'Île aux Pruches qu'on a peine à croire qu'il y habite toujours.

Louise ne se plaint pas de ces longues visites. D'ailleurs, son frère s'assure qu'elle ne manque jamais de rien : le réfrigérateur est toujours plein; sa garde-robe, bien garnie et l'appartement, toujours bien meublé. Louise ne roule pas sur l'or dans son petit logement, et on lui donne parfois de l'argent pour combler ses fins de mois difficiles. Mais Louise est excessivement dépensière et, comme elle a toujours un besoin pressant quelconque, il arrive souvent qu'elle échange les meubles qu'on lui a donnés dans un *pawn shop* de la rue Ontario contre un peu de liquidité. Sylvie et Yve n'en croient jamais leurs yeux lorsque, en rendant une visite impromptue à leur jeune sœur, ils constatent que son appartement est à nouveau pratiquement vide. «J'avais besoin d'un peu d'*cash*», affirme-t-elle toujours, un peu repentante. Cela a le don de mettre ses frères et sœur au désespoir, car ils voient bien que Louise vit au-dessus de ses moyens alors qu'eux-mêmes sont plus raisonnables avec leur argent.

Louise, qui jure à chaque fois qu'elle ne recommencera plus, ne cesse pourtant de se livrer à ses excès.

L'enfer de la drogue

Pour un jeune homme ordinaire qui vient de franchir le cap de ses dix-huit ans, il est pratiquement impossible de résister aux tentations auxquelles la vie le soumet. Lorsque la fortune arrive en même temps que l'âge adulte, et que tout est permis et possible grâce à l'argent, les tentations deviennent vite démesurées. Les plaisirs qu'Yve s'offre varient : en plus de sortir pour danser et picoler dès que l'occasion se présente, le jeune homme se plaît toujours d'une soirée au cinéma ou d'un repas en bonne compagnie, et il n'hésite pas à se procurer les nouveaux jeux vidéos, des albums de musique et des vêtements de toute dernière mode.

Yve sort presque tous les soirs dans des discothèques et des clubs de toutes sortes, accompagné d'un groupe d'amis qui ne cesse de croître. Plusieurs camarades qui le côtoyaient avant que sa vie ne change sont restés les mêmes. Rich, Dan et «Ti-Bob» sont parmi ceux-là, profitant parfois du verre que leur offre leur ami millionnaire, mais payant la ronde à leur tour. Certains ont adopté des attitudes bien différentes à son égard, tendant la main continuellement pour emprunter de l'argent ou pour se faire «payer la traite». D'autres, enfin, se sont mis à graviter dans l'entourage d'Yve lorsque sa réputation de fêtard généreux a commencé à se faire connaître dans le petit réseau de boîtes de nuit qu'il fréquente de plus en plus. Il semble que ceux-ci savourent le prestige d'être en compagnie d'un millionnaire et savent que jamais on ne s'ennuie quand quelqu'un d'autre qu'eux défraie tous les coûts de la soirée.

Il n'est pas rare qu'il offre un verre à tout le monde autour de la table, à ceux assis au bar ou même à la foule au complet qui a le plaisir d'être dans le même club que lui. «Une tequila pour ma *gang* !» crie-t-il au serveur, pour ensuite être acclamé par les autres qui profitent sans retenue d'une telle générosité. Yve sait qu'il a leur cœur sur la main, et même si certains de ses amis plus sincères tentent de le mettre en garde contre l'abus de la plupart des autres, il n'hésite pas à ouvrir son portefeuille. «J'sais c'est qui les vrais pis les moins vrais, les personnes sincères pis les maudits profiteurs», affirme-t-il, croyant y voir clairement dans cette foule qui célèbre avec lui nuit après nuit.

En plus de ses sorties fréquentes et ses escapades dans des clubs de nuit qui s'étirent parfois jusqu'à l'aube, il arrive aussi qu'Yve et ses copains se prêtent à des délassements d'un tout autre ordre : ses soirées d'ivresse dégénèrent parfois en partouses qui ne finissent plus, qui s'étirent sur plusieurs journées, et où l'alcool ne suffit plus pour animer les fêtards. En effet, Yve adopte bientôt une autre habitude encore plus inquiétante, même s'il la croit d'abord à peu près inoffensive. Ces soirées de débauche quasi répétitives le font bientôt sombrer dans l'enfer de la drogue.

Cela a commencé un soir, bien innocemment, alors
qu'il demande à un ami de le laisser expérimenter avec de
la cocaïne. Ce stupéfiant a longtemps été réservé aux gens
évoluant dans les plus hautes sphères de la société. À une
époque, c'était «la drogue des riches», dont on entendait
parler à la télévision et dans les journaux seulement.
Aujourd'hui, les revendeurs de différents quartiers –
incluant celui du Faubourg à M'lasse – offrent de la *coke*
sur une base régulière, ce qui a changé considérablement
le visage du trafic de la drogue à Montréal. En effet, la
cocaïne devient au début des années quatre-vingts aussi
populaire et accessible que l'était la marijuana dans les
années soixante-dix.

Les adeptes de *coke*, qui sont légion dans les milieux
qu'il fréquente depuis quelque temps, lui ont souvent
décrit les nombreux «bienfaits» de cette poudre blanche
magique : «Les couleurs sont plus brillantes; la musique
est meilleure; les femmes sont plus belles. Tout ce qui
t'entoure devient différent, meilleur quand tu
sniffes !» Personne ne l'a forcé à consommer ce soir-là,
mais il viendra un temps où il souhaitera qu'on l'en ait
empêché.

Pour l'instant, la *coke* est un péché mignon auquel il
s'adonne quelques soirs par semaine. Au début, une
infime quantité prise entre deux verres lui suffit pour
s'amuser comme un fou jusqu'à la fermeture des bars. Des
amis l'avertissent du danger qu'il court en utilisant cette
drogue, même si, pour l'instant, il en consomme
relativement peu. «Tu vas t'retrouver dans un enfer sans

nom !» lui jure-t-on. Mais Yve balaie l'air du dos de la main, confiant qu'il sera toujours maître de la situation. Peu à peu, ses escapades se font plus fréquentes. Ses amis et lui s'enfilent quelques lignes avant de sortir, se rejoignent à la salle de toilettes à quelques reprises durant la veillée pour un peu plus de stimulus, puis en reniflent encore dans la voiture sur le chemin du retour. Enfin, Yve consomme de ce narcotique maudit à tout moment presque, que ce soit à son lever pour se donner la force de mettre les pieds dehors, en s'installant devant la télévision pour écouter son émission préférée, ou même lorsqu'il se décide à rentrer au château le temps de saluer sa famille. L'habitude devient rapidement un besoin primaire puis, enfin, une manie débilitante.

Par souci de discrétion, jamais il n'achète des quantités trop importantes de cocaïne. Les médias n'hésiteraient certainement pas à partager avec le public les déboires judiciaires de ce célèbre gagnant de la Lotto 6/49, s'il venait à se faire pincer ! Plutôt que de garder des réserves cachées dans sa chambre ou dans l'appartement de sa sœur, Yve préfère ne se procurer que ce qu'il entend prendre dans les heures qui suivent, soit jamais plus de quelques grammes. Ses fournisseurs varient : il n'est pas question qu'il s'attache à un seul des nombreux revendeurs de drogue qu'il connaît. Chaque fois que le besoin d'un petit «remontant» se fait sentir, il n'a qu'à faire signe à l'un de ses amis pour qu'il lui trouve ce dont il a besoin.

Lorsqu'il consomme de la drogue, la générosité proverbiale du millionnaire de la rue Logan ne se limite pas aux verres qu'il offre à ceux qui font la fête avec lui. En fait, Yve préfère ne pas être le seul sous l'effet de la cocaïne en public, de sorte que tout son entourage a droit à sa ligne pendant la soirée. Quand les festivités arrivent à terme, il distribue même à ses copains ce qui lui reste de poudre, prenant bien soin d'en conserver une quantité suffisante pour son réveil le lendemain.

Louise aussi est devenue dépendante de la cocaïne. Elle en renifle régulièrement en compagnie de son frère et de ses amis, mais aussi avec des gens d'une autre bande bien plus répréhensible. Tous les deux expérimentent avec d'autres drogues, dont des hallucinogènes divers et du «crack», un produit dérivé de la *coke*. Leur accoutumance se limite toutefois à leur premier vice, ce qui n'amenuise pas leurs ennuis pour autant.

Ils consomment pendant peu de temps, quelques mois à peine, et déjà leur corps commence à s'habituer à la cocaïne, dont les effets ne sont plus aussi puissants qu'auparavant. Il y a quelques jours, quelqu'un qu'ils connaissent s'est fait prendre par la police avec quelques sachets de cocaïne dans ses poches. On dit qu'il s'est retrouvé en prison, et que les autres détenus l'ont puni sévèrement pour avoir été trop bavard pendant son procès. Yve et Louise se sentent hantés par une telle perspective. Un destin pareil pourrait-il leur être réservé ?

Sous l'effet de la drogue, ils deviennent de plus en plus paranoïaques et se méfient de la police en tout temps, même alors qu'ils ne sont pas «gelés». Tout bruit de sirène les fait sursauter; toute lumière stroboscopique les fait frémir; chaque voiture blanche et bleue les terrorise. Leur paranoïa atteint même un niveau tel qu'ils se sentent constamment traqués, croyant voir des agents d'escouade anti-drogue cachés un peu partout dans leur entourage et soupçonnant même des gens autour d'eux d'être des espions qui veulent leur perte. La dégringolade est commencée, et leur situation n'a pas fini de s'empirer.

Une fois, une partie de plaisir qui débute comme toutes les autres ne se termine que neuf jours plus tard. Yve ne dormira pas pendant toute cette période, comptant sur sa fidèle ligne de *coke* pour lui redonner de l'énergie pour continuer à festoyer. Il veille d'abord dans un club jusqu'à sa fermeture, se retrouve chez un ami où tous continuent à s'amuser comme des vrais fous, jusqu'à ce que les bars reprennent leurs ventes de boisson le lendemain. À la neuvième soirée, il se frappe à un mur qui le démonte comme jamais il ne l'a été. Lorsque lui et ses compagnons se rendent au club *l'Horizon*, sur le boulevard Henri-Bourassa, le portier leur annonce que toute la bande peut y être admise, hormis Yve. On n'y comprend rien : «C'est quoi le problème ?» demande-t-on au gorille qui garde la porte, cherchant à savoir ce que leur ami ait bien pu faire de mal. «Ce gars-là, c'est Yve Lavigueur, le millionnaire ! Y vous donne toujours un bon *tip*, pis y est toujours au cœur d'la fête ! Comment pouvez-vous l'empêcher d'entrer ?» L'homme, qui reste froid comme glace, n'hésite pas à répondre : «Ce type est complètement gelé. Il a l'air d'un infirme ! Je ne veux pas de ce genre de clientèle chez moi.» Yve arbore en effet une mine rappelant celle d'un cadavre, sans oublier les tics nerveux qui assaillissent son visage et son corps tout entier. La *coke* le garde bel et bien éveillé, mais les effets secondaires qui se manifestent plus clairement que jamais chez lui trahissent son «secret».

En apprenant ce qu'on a dit à son sujet, Yve est atterré. Il rentre aussitôt chez lui, embarrassé par l'image qu'on semble avoir de lui, stupéfié qu'il soit rendu si bas.

Cela ne suffira pas pour le remettre sur le droit chemin. Le deuxième son de cloche qui lui signale que son problème a atteint des proportions dramatiques lui vient de son père. En le voyant rentrer un jour au château, le visage maladif et la tête dans les nuages, Jean-Guy n'a d'autre choix que de commenter sur la vie de débauche à laquelle s'adonne son fils. «Yve, y faut qu'tu t'prennes en main», lui dit-il simplement. «Si tu fais rien pour te sortir du trou que tu t'es creusé, j'voudrai pus rien savoir de toé ! »

Le coup est difficile à encaisser. Yve ne se doutait même pas que son père était au courant de son problème de drogue. Cet homme qu'il aime tant, qu'il a juré chérir toute sa vie le jour où sa mère est décédée, renoncerait-il réellement à lui parler une fois pour toutes ? Jean-Guy est un homme de parole. Jamais il n'est revenu sur ses principes alors qu'il était aux prises avec l'insubordination de Louise. Pourquoi hésiterait-il à agir sur cette menace qu'il envoie aujourd'hui à son fils ?

La longue remontée

Yve essaie tant bien que mal de calmer ses ardeurs. Il n'est toutefois pas si facile de renoncer à la cocaïne après en avoir abusé pour une période prolongée. Des amis l'accompagnent parfois pour quelques journées de camping, «pour se refaire une santé», comme il aime dire. Personne ne doit apporter avec lui la moindre once de *coke* pendant ces retraites pour les empêcher de succomber à la tentation d'un petit «remontant». Les retours en ville donnent toujours le même résultat par contre. Dès la première soirée où Yve et quelques amis se retrouvent pour prendre un verre, la bande au complet retombe dans le gouffre duquel ils ont cru se délivrer. À présent, chaque fois qu'il renifle sa drogue, l'euphorie qui en résulte est accompagnée d'un douloureux sentiment de culpabilité. Il se perçoit renié par son père, dépossédé de tous ses biens, de sa fortune et de sa famille. Et pourtant, il recommence son manège dès le lendemain, incapable de s'en empêcher. Dès qu'un ami lui propose une petite ligne, il se plonge encore plus profondément dans cet enfer qui, il le sait, le consume toujours plus intensément.

Inquiète pour son jeune frère, Sylvie tente à quelques reprises de l'assister dans sa rémission. Elle déniche d'abord pour lui les coordonnées d'une dizaine de cliniques de désintoxication réputées auxquelles il pourrait s'adresser. Une cure n'est toutefois pas efficace si le sujet n'est pas entièrement voué à sa réussite. Malheureusement, les premiers spécialistes auxquels Yve s'adresse ne l'impressionnent pas. Sylvie cherche par tous les moyens du monde à aider son frère à remonter la pente afin qu'il retrouve la vie saine de jadis, mais, pour Yve, la pente est trop abrupte...

Les quelques psychologues qu'il consulte ne sont pas trop optimistes quant à la réhabilitation de leur sujet. Yve est peu sérieux lors de ses rendez-vous, et il refuse régulièrement de se prêter aux différents tests qu'on lui propose de faire afin de l'évaluer. «Y est pas question que j'joue avec des cubes de bois !... Pis pourquoi que j'devrais parler d'mon enfance, de mes parents pis d'ma vie personnelle ? C'est pas ça qui va combler mon manque de *coke* !» Il arrive même qu'il se présente au bureau du psychologue complètement intoxiqué ! Une firme spécialisée dans les problèmes de toxicomanie lui dresse un rapport d'évaluation psychosociale détaillé, et va même jusqu'à lui prescrire une retraite prolongée dans un établissement en Suisse. «Ce qu'il vous faut est un changement complet de décor. Là où vous irez, il n'y aura que des montagnes et de grands espaces verts. Après quelques semaines de repos, vous ne ressentirez plus aucune envie pour la cocaïne.» Peut-être sait-on qu'Yve a les moyens de se permettre une telle vacance mais, dans son esprit, il est hors de question qu'il aille s'exiler ainsi loin de sa famille et de ses amis. N'ayant rien d'autre à lui proposer, la firme de psychologues perd un client, et lui, un peu de sa foi envers ces «spécialistes».

Les premières tentatives se soldent donc par des échecs, ce qui soulève la question à savoir si Yve veut *vraiment* se sortir de son problème de drogue. Alors que sa sœur s'apprête à retirer l'aide qu'elle lui offre, il accepte de consulter un autre psychologue, avec la promesse qu'il prendra avec le plus grand sérieux la thérapie qu'on lui propose.

Yve voit quatre dénouements possibles à sa situation : soit qu'il se retrouvera en prison, soit qu'il en perdra la raison, soit qu'il en mourra ou soit qu'il réussira à s'en sortir. L'heure des choix a sonné, il lui faut absolument prendre une décision avant de tout perdre : sa santé, le respect de son père, son argent et le contrôle sur son existence.

Il lui est toujours aussi difficile d'écouter les conseils et les recommandations de ses nouveaux psychothérapeutes. Yve ne se rebute pourtant pas devant les nouveaux tests à passer, aussi insignifiants qu'il puisse les considérer. On suscite pourtant son intérêt lorsqu'on lui explique que, ce qu'on essaie trouver, c'est le problème qui se trouve au fond de lui et qui le pousse à agir de manière aussi irresponsable. Existerait-il une explication *scientifique* à son comportement, explication qui, une fois qu'il en aurait pris conscience, pourrait le guider vers une rémission complète ?

Plusieurs thérapies successives et rapprochées semblent nécessaires pour trouver la clé de l'énigme. Un isolement lui est toujours prescrit, mais on ne suggère plus qu'Yve s'exile à l'autre bout du monde. On lui propose finalement de se retirer quelque temps à la Maisonnée d'Oka, là où d'autres gens aux prises avec des problèmes similaires se retrouvent pour essayer de découvrir la source de leurs ennuis et, bien entendu, de se défaire de leur problème de toxicomanie. Là, Yve se trouverait à seulement quelques minutes de route de chez lui et pourrait lever le camp quand bon lui semble pour rentrer à la maison. Bref, il ne serait pas «prisonnier» de sa thérapie. Cela suffit à le convaincre d'accepter le traitement.

À la mi-avril 1989, Sylvie le conduit à la Maisonnée d'Oka, où elle le dépose pour trois bonnes semaines, sans son portefeuille et avec pas plus de cinq dollars dans les poches. Les formulaires d'usage étant déjà remplis, sa conductrice quitte les lieux rapidement, le laissant relever seul le défi qu'il a accepté de s'imposer, et qui est effectivement de taille. D'ailleurs plusieurs de ses amis sont convaincus qu'il s'agit là d'une perte de temps, et qu'Yve n'y trouvera qu'un désir plus intense de s'adonner aux plaisirs de la *coke*. À mille cinq cents dollars pour le séjour au complet, gîte, couvert et thérapies compris, il en coûte peu au jeune millionnaire de s'y essayer, surtout si l'on compare ce montant à ce qu'il a dépensé en cocaïne jusqu'à présent...

En septembre 1986, cinq mois après avoir remporté le gros lot le plus important au pays, les Lavigueur emménagent dans leur château. Jean-Guy, Sylvie et Yve acquièrent le domaine de l'Île aux Pruches pour la somme de 850 000 dollars. Ils y demeureront jusqu'en 1995.

La chambre des maîtres est immense et comprend une alcôve circulaire où trône un lit de la même forme. Une porte-fenêtre donne sur un balcon et un tapis moelleux couvre la pièce d'un mur à l'autre. La chambre communique aussi avec une salle de bains privée, en céramique bleutée, dans laquelle se trouve un magnifique bain tourbillon.

Parmi les modifications que les Lavigueur apportent au domaine, on peut compter la grille électrique qui encercle l'île, l'éclairage complet du terrain ainsi que cette piscine creusée. C'est autour de celle-ci que se tiendront les nombreuses fêtes et parties qui feront pendant un certain temps la renommée du château.

La salle de bains attenante à la chambre des maîtres s'avère plus grande que la chambre de Sylvie ou Yve sur la rue Logan.

Yve ne met pas beaucoup de temps à regretter son choix. Il ne se sent pas trop bien dans cette ambiance qui, sans être vraiment celle d'un hôpital, lui rappelle sans cesse que tous ceux qui s'y trouvent sont des marginaux. La maison est grande et chacun a droit à une intimité minimale. Les chambres sont petites par contre, surtout en les mesurant à celles du château – et même à celle de l'appartement de Louise. On se balade dans les corridors ici comme si l'on était dans les couloirs d'une prison, aussi peu libre qu'un condamné. L'atmosphère est calme comme un deuil pathétique, les visages de tous ceux qu'il rencontre laisse transparaître leur souffrance, leur manque douloureux, et témoigne tristement du combat qu'ils essaient tant bien que mal de gagner.

Chacun a quelques tâches ménagères qui lui sont assignées. Celui qui passe la vadrouille dans la salle commune a perdu son emploi, sa maison et sa femme suite à son problème de toxicomanie. La dame qui est à la corvée de la vaisselle est en libération conditionnelle, après s'être fait prendre pour la énième fois par la police en possession d'une quantité importante de cocaïne. Yve, qui ne considère pas avoir sa place à la Maisonnée d'Oka, ne se sent attiré par aucun travail domestique pour l'instant.

Son sentiment de ne pas appartenir à cette communauté de drogués en rédemption atteint un seuil critique dès le deuxième jour. Yve n'a encore assisté à aucune session de «découverte de soi», dont le but est de révéler des secrets profonds et de libérer l'âme des chaînes qui la tiennent captive. Cela l'intéresse encore moins avec chaque heure qui passe. Sa décision est prise : il rentrera chez lui dès qu'il aura plié bagages.

Les cinq dollars que lui a confiés Sylvie en cas d'urgence serviront à payer le chauffeur de taxi qui lui permettra de traverser le pont Mercier jusqu'à Montréal. Yve a la délicatesse d'avertir l'équipe de la maison de réhabilitation de son départ, mais ne se sent pas obligé de saluer ses voisins de chambre, qu'il n'a par ailleurs pas eu l'occasion d'apprendre à connaître. On lui demande encore et encore s'il est certain que la décision qu'il prend est la bonne. Il se contente de répondre simplement qu'il veut s'en aller. Ce qu'on lui a affirmé lors de son inscription au programme de réhabilitation tient toujours : les clients sont libres de partir en tout temps. Les infirmiers, thérapeutes et préposés du centre sont toujours peinés de voir quelqu'un refuser aussi vitement l'aide qu'on essaie de leur apporter, mais leur mandat est de respecter le choix de chaque résident. Lorsque le taxi se stationne devant la maison, Yve sort d'un pas décidé, tandis qu'on le salue timidement. «Une autre âme de perdue», se dit-on.

En avançant vers la voiture, il sent son cœur se serrer. «J'suis rien qu'un lâche !» se dit-il, peu fier du manque de volonté dont il fait preuve. Les raisons qui l'ont poussé à donner une chance à la thérapie à laquelle il renonce maintenant lui reviennent à l'esprit. Son père, sa famille, sa santé, son argent, son équilibre mental. En quittant la Maisonnée d'Oka, il admettra son échec complet. Sa descente aux enfers se précipitera, et cette fois, il sait qu'il touchera vraiment au fond du baril. Il va tout perdre. Il va se perdre lui-même. Une telle misère serait-elle *réellement* moins dure que de passer quelques courtes semaines incarcéré dans un endroit qui, en fait, lui vaudra peut-être son salut ?

Le chauffeur de taxi descend la vitre de sa portière et lui demande : «Où est-ce qu'on va, monsieur ?» Yve baisse la tête et soupire profondément, après quoi il plonge sa main dans sa poche pour en sortir son billet. «Excusez-moi pour le dérangement», lui dit-il en lui tendant le pourboire. «J'vas rester icitte encore un peu.» En regardant s'éloigner la voiture, il se sent envahi par une force et une fierté sans pareilles. À l'idée que, maintenant, il ne *peut* même plus partir, Yve sourit. En faisant demi-tour pour rentrer à la Maisonnée d'Oka, il constate que quelques préposés l'observaient. C'est la tête bien haute qu'il avance vers eux, au son de leurs applaudissements chaleureux.

Dès le premier jour, on lui présente celui qui agira pour lui à titre de thérapeute. Richard est un héroïnomane, réhabilité depuis plusieurs années, qui voue sa vie à aider les autres à se défaire de leur dépendance à la drogue. Au début, Yve et lui ne font que discuter de tout et de rien. Le thérapeute s'intéresse aux passe-temps de son patient, à ses goûts, ses joies, ses amours et ses peines. Peu à peu, l'échange se transforme en interrogatoire, et Yve comprend qu'on le soumet malgré lui à une nouvelle évaluation. Il accepte de plein gré de s'y prêter, ne souhaitant rien faire pour gâter sa cure. Au fil des jours et des rencontres qui se multiplient, les questions portent sur son enfance, sa vie familiale et sur les changements qu'il a vécus en gagnant le gros lot. Lorsqu'il se renseigne sur ce que l'on compte faire de toute l'information qu'on lui soutire, Richard lui répond qu'il est essentiel de cerner les raisons qui le poussent à se rabattre continuellement sur la cocaïne. «Ce n'est qu'en mettant le doigt sur le problème que nous arriverons à le régler.» Cette petite formule passe-partout arrive à le rassurer. Il se demande pourtant ce qu'on pourra bien trouver en bout de ligne...

Même si aucune période de sevrage n'est nécessaire pour se défaire de la cocaïne, contrairement à l'héroïne ou même la cigarette, un usage prolongé peut entraîner une dépendance d'ordre psychoaffectif. Chacun vit sa désaccoutumance à sa manière, et certains peuvent sentir leur manque plus durement que d'autres. Pour aider Yve à traverser les moments difficiles de sa cure, Richard lui remet un livre qui, selon ce qu'il dit, lui révélera une sagesse profonde et l'incitera à méditer sur différents aspects de sa vie. *Vingt-quatre heures par jour* ressemble à un petit missel. Sa couverture cartonnée noire protège quelques centaines de pages de réflexions, de maximes et de pensées quotidiennes. Ce bouquin ne l'impressionne d'abord pas du tout, mais à force de voir les autres résidents le porter sur leur cœur, à force qu'on lui vante ses nombreux bienfaits et qu'on l'incite à s'en inspirer, Yve décide finalement de s'y plonger. Plus jamais il ne s'en séparera.

Les échanges entre Richard et lui ne suffiront pas à percer le mystère. On lui demande bientôt de participer à une thérapie de groupe, au cours de laquelle chacun doit s'exprimer ouvertement, parler de son «moi» intérieur, partager ses sentiments profonds. Plusieurs de ces exercices lui paraissent futiles, ridicules même, mais il donne toujours aux thérapeutes le bénéfice du doute.

Yve participe à une foule d'activités, dont quelques-unes qui arrivent à lui faire énormément de bien. L'une de ses activités préférées consiste à remplir simultanément deux cahiers de notes : le premier ne doit comprendre que des choses qui lui plaisent – la musique, les amis, des soupers en bonne compagnie et le temps de Noël –, et l'autre, tout ce qu'il n'aime pas, comme les conflits entre Louise et le reste de la famille, les moqueries à propos des Lavigueur qui circulent dans les journaux, et l'absence de sa mère et des deux sœurs qu'il aurait aimé voir devenir femmes. Lorsque le séjour arrivera à sa fin, lui et les autres membres du groupe se réuniront autour d'un petit feu de joie, dans lequel ils feront brûler leur cahier de «mauvaises choses» pour ne garder que ce qui leur plaît. Bien entendu, tous ces éléments négatifs ne cesseront pas d'exister dès qu'ils auront disparu en flammes, mais la perspective de voir se consumer tout ce qu'il déteste lui est tout de même bien agréable.

Ce que les thérapeutes de la maison s'attendent de tous leurs sujets est simple, mais exige des efforts considérables. «Il est essentiel que chacun travaille sur soi-même.» La consigne est vague, et tous peuvent l'interpréter à leur manière. Plusieurs croient arriver à des résultats à force de réfléchir et discuter avec les autres. En fait, l'essentiel n'est peut-être pas d'arriver à identifier la genèse de ses malheurs, mais bien de se donner une raison de les expier en même temps qu'on fasse la paix avec un mal dominant. Bref, on leur sert peut-être des «pilules de sucre» avec ces soi-disant thérapies, espérant que, si les clients se *croient* guéris, ils le seront peut-être. Ne reste plus qu'à espérer que les fins pourront justifier les moyens.

Dès la deuxième semaine de rencontres, Yve croit avoir trouvé la source de tous ses ennuis. Lorsqu'il partage son hypothèse avec ses confrères, tout le monde se lève en battant des mains pour le féliciter de sa découverte. À présent, peut-être sera-t-il libre de trouver un remède moins nocif que la cocaïne pour apaiser son mal ?

Selon Yve, l'origine de sa délinquance et de son peu de responsabilité devant sa fortune découle du départ précipité de sa mère. Cette supposition peut sembler simpliste, mais Richard lui a souvent répété que, la plupart du temps, les idées les plus élémentaires sont aussi les plus fondamentales. «'vie', 'mort', 'force', 'amour', voilà tous des mots bien simples, mais ô comment puissants !» lui dit-il, essayant de le convaincre que sa trouvaille n'a rien de futile. En effet, en perdant si jeune sa pauvre mère, peut-être Yve a-t-il cru qu'il n'existait pas de réelle justice. Peut-être croyait-il que le malheur pendait continuellement au nez de tout le monde, surtout au sien, et que d'agir en bien ou en mal n'avait pas beaucoup d'incidences dans l'optique que, à tout moment, une nouvelle calomnie pouvait s'abattre sur lui et l'écraser une fois de plus. Ni Yve ni Richard ne sont certains de ce qu'ils avancent, mais ils croient tout de même déceler dans ce souvenir douloureux des éléments susceptibles de l'assister dans sa rémission.

La troisième semaine à la Maisonnée d'Oka sera consacrée à trouver des solutions au problème de drogue, à partir de la peine avec laquelle Yve vient de renouer. Un nouveau deuil s'impose, mais il ne contiendra pas que des larmes et de la douleur cruelle. Le jeune homme devra traverser chaque jour en s'imaginant que sa mère veille sur lui, et que son propre bonheur dépend de la fierté qu'elle aura de le voir mener une vie saine et sobre. «Chaque fois que tu auras envie de t'enfiler une ligne de *coke*, pense à la peine que tu lui ferais; pense à ce qu'elle penserait de toi !» Les dernières séances de groupe serviront à l'aider à s'accoutumer à ce nouveau mode de vie et d'y trouver une paix qui, il l'espère, le suivra toujours.

Une brève cérémonie clôt le dernier jour de sa pension. On lui remet en grande pompe une attestation signifiant qu'il a complété sa cure et que des jours meilleurs lui sont promis. Les familles de tous les résidents qui ont «travaillé sur eux-mêmes» sont invitées à venir célébrer le renouveau que se promettent de vivre ces êtres qu'ils ont eu bien peur de perdre. Les Lavigueur sont là, bien sûr, et tous félicitent celui qui jure s'être sorti de son malheur, «certificat à l'appui» !

La menace des rechutes

Trois semaines de thérapie, c'est bien peu pour se défaire d'une dépendance de chaque instant. C'est donc fragilisé, mais heureux, qu'Yve retrouve les siens. Son retour au château de l'Île aux Pruches lui redonne le sourire. Sylvie et Michel agissent avec lui de la même manière que toujours, même s'ils ne peuvent s'empêcher de lui répéter de temps à autre à quel point ils sont soulagés de retrouver leur frère tel qu'ils l'ont connu autrefois. Même s'il doit maintenant s'imposer une certaine discipline, Yve ne met pas beaucoup de temps avant de retrouver ses amis, avec qui il se remet aussitôt à sortir dans les clubs et à faire la fête dès que l'occasion se présente. «Y faut juste que j'me tienne loin d'la *coke*», se convainc-t-il, conscient qu'une toute petite poussée pourrait suffire à le faire retomber dans l'abîme de la drogue.

Un soir au cours duquel lui et ses copains ont bu un peu trop, quelqu'un décide de renifler un peu de poudre. Yve sent son cœur se serrer lorsqu'un autre de ses amis en absorbe à son tour, puis un autre, jusqu'à ce que toute la bande, sauf lui, se retrouve dans les «vapes». En temps normal, on ne lui propose jamais de cocaïne pour ne pas l'inciter à reprendre ses anciennes habitudes. Ce soir, par contre, *tous* font preuve de bien peu de jugement. Bientôt, Yve est intoxiqué une fois de plus, mais la gâterie qu'il s'offre n'a rien d'agréable. Quelques minutes seulement après avoir manqué à sa résolution, il enfile son veston et rentre chez lui.

Au château, Yve va droit au lit, sans saluer qui que ce soit. Son cœur bat à vive allure alors qu'il s'enfonce le visage dans son oreiller, pleurant une défaite des plus amères, honteux devant sa mère qu'il sent tout près, déçue. «Que c'est qu'ça m'a donné ?» se demande-t-il, incapable de justifier son geste. «Pus jamais !» jure-t-il une fois de plus. «J'aime mieux mourir que de retourner d'où c'est qu'j'suis sorti !»

Son expiation est douloureuse, mais il est incapable de l'outrepasser. Son exemplaire de *Vingt-quatre heures par jour* lui est plus salutaire que jamais; le fait de lire plusieurs fois les pensées de chaque jour depuis son retour chez lui arrive à soulager un peu de son anxiété. Puis, dans les jours qui suivent, il se rend à une rencontre de groupe organisée par la Maisonnée d'Oka, mais tenue cette fois dans un bureau à Montréal. Yve se confesse et exprime

bien haut le calvaire que lui a valu son instant de
faiblesse. La séance lui fait le plus grand bien, ce qui
l'incite à répéter l'expérience quelques jours plus tard. La
seconde rencontre est aussi inspirante que la première, et
Yve est impatient d'assister à la prochaine. Même si l'on
ne demande aux participants d'être présents qu'à une ou
deux de ces soirées au cours d'un certain nombre de
semaines, Yve s'y rend presque tous les soirs. On ne le juge
pas pour son excès de zèle : chacun est libre de profiter à
sa manière des services que l'on met à sa disposition. De
plus, chaque réunion à laquelle il participe compte pour
une nouvelle journée à l'abri du fléau qui le menace
toujours. Ces réunions deviennent pour lui une véritable
«drogue», et il ne peut bientôt plus s'en passer, comme
c'était le cas avec la cocaïne il n'y a pas si longtemps...

Yve arrive finalement à se pardonner pour cette perte
de raison momentanée, mais refuse de l'oublier. Cela ne
lui évitera pas de pécher deux fois encore; il se sentira
d'ailleurs péricliter tout aussi dangereusement avec
chaque nouvel écart. Puis, comme si sa volonté s'aiguisait
d'une défaite à l'autre, Yve parvient enfin à se défaire
définitivement de l'emprise de cette drogue maudite. Au
fil des semaines, il participe plus rarement aux rencontres
de la Maisonnée d'Oka, à mesure qu'il se sent prendre de
l'autonomie et de la force par rapport à sa dépendance.
Lorsque les confessions des autres commencent à le
déprimer plus qu'elles ne l'inspirent, Yve comprend que le
temps est venu de voler de ses propres ailes. La grande
misère de la drogue est enfin derrière lui.

Sa sœur Louise est, de son côté, toujours aux prises avec son propre problème de drogue. Yve tente de l'aider à se défaire de son accoutumance à la cocaïne, mais pour cela, elle devra d'abord trouver en elle cette volonté dont a fait preuve son frère. Alors qu'on ne s'inquiète même pas pour Sylvie – que l'on sait être la plus responsable des enfants Lavigueur – Michel, quant à lui, fait bien quelques expériences avec différents narcotiques. Heureusement, il ne se laisse dominer par aucun d'entre eux – pas même la cocaïne – et ses expériences demeurent de simples gestes curieux. Yve est fier de lui, et il ne rate jamais une occasion pour lui parler des nombreux problèmes qu'il s'est épargné en n'imitant pas son grand frère.

Plusieurs personnes dans l'entourage d'Yve demeurent sceptiques quant à sa réhabilitation. On le considère toujours comme un toxicomane invétéré, le soupçonnant même de prendre de la *coke* en cachette et faisant des paris sur le moment où il sombrera une fois pour toutes. Yve les laisse parler; même si certaines rumeurs à son sujet sont blessantes, il sait qu'il a gagné son combat. L'alcool, le tabac, un peu de marijuana de temps à autre seront les seules transgressions qu'il se permettra désormais.

Yve ne gardera pas d'excellents souvenirs de ses trois premières années en tant que millionnaire. Trois années à renifler de la *coke*, trois *longues* années de hauts et de bas où, plutôt que de se payer du bon temps, il a perdu l'estime de lui-même. Des années qui auraient pu, en fait, être les plus belles de sa vie. Il semblerait que, pour chaque personne aux prises avec un problème de drogue, une quarantaine de personnes subissent des conséquences fâcheuses de cette dépendance. Même si Yve n'a jamais encouru des dettes importantes pour satisfaire son goût pour la cocaïne, même s'il n'a jamais blessé physiquement qui que ce soit en raison de sa vilaine habitude, il est conscient que des gens de son entourage en ont subi des effets pour le moins désagréables. Sa victoire lui réchauffe le cœur dans les moments les plus difficiles de sa vie, et il fera toujours preuve de la reconnaissance la plus humble devant ceux qui l'ont aidé à se défaire des griffes de la drogue, devant ceux qui l'ont pardonné pour ses intolérables moments de délire. Son père, avec qui les liens auraient pu être coupés à jamais, lui sourit à nouveau. Cela en soi vaut tous les efforts que lui a coûtés sa courte mais pénible cure de désintoxication.

CHAPITRE SEPTIÈME

Le calme après la tempête

Pendant les trois années où Yve a été aux prises avec un problème de drogue, la vie n'en a pas moins continué son cours au château des Lavigueur. La routine s'est installée, même s'il arrive parfois qu'une aventure vienne les distraire de leur train-train quotidien.

Un après-midi, on sonne à la porte du château. Yve dépose sa revue pour répondre. Il entrebâille la porte, puis l'ouvre tout grand : un représentant de la brasserie Molson veut s'entretenir avec le chef de la famille. Il s'est rendu chez les Lavigueur avec une voiture dans laquelle on a entassé des douzaines de caisses de bière. Répondant aux appels de son fils, Jean-Guy se présente bientôt à l'entrée. «C'est un cadeau de la brasserie Molson, lui dit l'homme. Nous tenons à vous remercier pour toute la publicité que vous avez faite pour nos produits. Nous ne pouvons pas vous offrir un *camion* de Molson, mais il nous fait plaisir de vous en offrir une voiture bien pleine !»

La rumeur de l'achat du fameux *truck* de Molson s'est dissipée depuis plusieurs mois. Jamais Jean-Guy ne s'est douté que ces ouï-dire, que ces blagues répétées à ses dépends ont influencé de façon positive les ventes de *sa* bière. Chose certaine, il a bien mérité la reconnaissance qu'on lui témoigne aujourd'hui. Yve appelle son frère et, ensemble, les Lavigueur déplacent les deux douzaines de caisses de Molson Export vers la chambre froide du château. Impossible de refuser pareille offrande ! En plus des quelques centaines de bouteilles, le représentant Molson offre aux Lavigueur foule d'objets promotionnels à l'effigie de la brasserie montréalaise : banderoles, sous-verres, serviettes, chandails et autres présents. Bientôt, l'homme rembarque dans sa voiture – nettement plus spacieuse qu'à son arrivée – et se met sur son chemin. Les Lavigueur lui envoient la main, stupéfiés par ce nouvel épisode, absurde, comme eux seuls les connaissent.

Les Lavigueur déménagent

Trois ans après qu'ils se soient installés dans leur nouvelle demeure, les Lavigueur sont conviés à la grande première d'une comédie populaire. Le film sera présenté devant un auditoire d'invités triés sur le volet au cinéma Berri sur la rue Saint-Denis, à Montréal. *Les Lavigueur déménagent*, un film de Dick Maas présenté au Québec par Malo Films, prendra l'affiche dans quelques semaines à peine. Tous les membres de la famille sont perplexes : aurait-on déjà porté au grand écran l'histoire de leur vie ? Pourquoi ne leur a-t-on même pas signalé qu'une telle production était en cours ?

Dès les jours suivants, on présente à la télévision et dans les journaux des publicités du long-métrage. Ce qu'en voient les Lavigueur ne les amuse pas du tout. Il est question d'une histoire grotesque, voire vulgaire, dans laquelle aucun des membres de la famille ne pourrait se reconnaître. Pourquoi alors s'en formaliser ?

Les Lavigueur fictifs sont une famille pauvre qui, par quelque miracle, mettent la main sur une fortune; ceux-ci font tôt de «déménager» dans un quartier huppé. Présentée de cette façon, l'idée générale du scénario se rapproche de l'histoire vécue par les anciens résidents de la rue Logan. Voilà précisément ce qui les gêne : en associant leur nom à ce film, on les parodie, on les ridiculise, on porte atteinte à leur réputation. Lorsqu'ils visionneront *Les Lavigueur déménagent*, d'innombrables spectateurs seront portés à croire que la famille dérangée qui les font rire représente celle qui s'est exilée sur une île de Laval trois ans plus tôt. Combien seront-ils à se moquer d'eux ? Le cirque médiatique auquel ils ont eu droit avec leur gros lot renaîtra-t-il ? L'insulte est trop importante, plus outrageuse encore que les caricatures du *Bye-Bye 1986* et du magazine *Croc* : cette fois-ci, ils sont décidés à empêcher la diffusion de ce film et cherchent à étouffer le projet dans l'œuf.

Les Lavigueur déménagent a d'abord été produit en Hollande en 1986, sous un tout autre nom. La firme Malo Films, qui se charge de dénicher un peu partout à travers le monde des longs-métrages pour le marché québécois, y voit une occasion d'affaire en or et fait immédiatement l'acquisition des droits canadiens pour la comédie «*Flodder*». Les dirigeants de la société de distribution font traduire le film en québécois et lui donnent du même coup un nouveau nom qui, ils l'espèrent, saura attirer les foules. Ils le baptisent en s'inspirant d'une tête d'affiche d'un journal qui titrait, à l'automne 1986 : «les Lavigueur déménagent». En s'associant au nom des célèbres Lavigueur, ils espéraient sûrement amener le public à croire qu'il s'agissait bel et bien de l'histoire de la richissime famille, ce que beaucoup ont d'ailleurs cru pendant longtemps. Mais les Lavigueur, eux, ne cherchaient pas tellement à être associés à une famille fictive au comportement absolument déréglé.

D'un commun accord, la famille s'adresse à leurs avocats, les mêmes qui ont défendu leurs intérêts lors du procès contre Louise. Malheureusement pour les Lavigueur, l'avis juridique qu'on leur donne confirme leur impuissance dans toute cette affaire : ils ne peuvent tout simplement pas empêcher le film de paraître. Ce dernier pourra être projeté dans les salles de cinéma et, éventuellement, à la télévision, sans qu'il ne soit nécessaire d'en changer le titre. Les Lavigueur ne pourront faire autrement que d'encaisser le coup.

«Votre nom est assez commun au Québec», leur explique leur avocat. «Les réalisateurs ne vous connaissaient même pas lorsqu'ils ont tourné ce film. Vous l'avez dit vous-mêmes : l'histoire n'a rien à voir avec la vôtre. Ils auraient pu nommer leur production *Les Lavallée déménagent* ou *Les Levasseur déménagent*, mais ils ont opté pour 'Les Lavigueur', voilà tout !» Peut-être ce dossier est-il bien simple pour les avocats de cette cause, mais pour la famille qui se sent visée, cela signifie une défaite amère.

Même si les producteurs et les avocats semblent s'être concertés pour faire croire aux Lavigueur que cette histoire ne les concerne nullement, voilà pourtant que les Lavigueur reçoivent une invitation spéciale pour la première du film au Québec. Yve se porte volontaire pour aller à cette soirée. Il s'y rend en compagnie de sa copine et de deux autres amis pour représenter sa famille et signifier aux médias que les Lavigueur ont un bon sens de l'humour. Devant le cinéma, un immense camion de déménagement est stationné, sur lequel le nom du film est inscrit en grosses lettres. Des curieux sont rassemblés autour du véhicule et en rient déjà, comme s'il annonçait par sa seule présence des scènes de parodie désopilantes. Yve et sa bande ne s'y attardent pas trop et se faufilent dans la grande salle. On a réservé une section importante pour la famille millionnaire – les deux premières rangées au grand complet – et personne n'a osé aller s'y asseoir. Le seul véritable invité «d'honneur» n'hésite pas à s'y installer, sous les regards des autres spectateurs qui le reconnaissent immédiatement.

La salle se remplit peu à peu, puis les rideaux s'ouvrent enfin. Les spectateurs éclatent de rire dès les premières scènes et ne se tairont que lorsque le générique aura commencé à défiler. Yve ressent d'abord un pincement au cœur en voyant cette famille de péquenauds jouant les pitres dans toutes sortes de situations plus ridicules les unes que les autres. Après quelques minutes de bêtises et d'absurdités, il se prend enfin au jeu. Il s'en était douté : les personnages du film n'ont *clairement* rien à faire avec lui et sa famille. Pourquoi alors ne pas rigoler un peu comme les autres ? De plus, d'être assis là au premier rang d'un tel événement lui donne la sensation de jouer les vedettes, ce qui n'a jamais déplu à personne. Yve se demande tout de même ce que ce serait d'être assis à la première de son film, un long-métrage qui raconterait leur *véritable* histoire, sans les caricaturer ni les tourner en ridicule. Pour le moment, il se contente de profiter du spectacle, car le film est véritablement comique.

Le film prend l'affiche, tel que prévu, et connaît un succès monstre, bien au-delà des attentes de ses producteurs. Les appréhensions qu'avaient Yve et sa famille se concrétisent, et leur réputation, fragile depuis qu'ils ont remporté le gros lot, en prend pour son rhume. Nombreux sont ceux qui croient que *Les Lavigueur déménagent* est la *vraie* histoire de cette famille célèbre, et l'on n'hésite pas à prétendre que les propriétaires du château de l'Île aux Pruches sont fous à lier.

Les Lavigueur sont plus connus que jamais, mais leur célébrité n'aura jamais été moins heureuse. Chaque fois que Michel fait une nouvelle rencontre, il peut s'attendre à ce qu'on lui demande s'il fait partie de cette famille «dont on a porté l'histoire à l'écran». Lorsqu'on reconnaît Jean-Guy en public, on se permet de lui demander, sans la moindre discrétion, s'il lui reste encore de l'argent du gros lot ou bien s'il l'a dilapidé. Enfin, il n'est pas rare qu'on interroge Yve pour savoir quand sera présentée la suite de «son» film.

La famille sera bien surprise lorsque, moins d'un an plus tard, on annoncera que *«Les Lavigueur redéménagent»* !

La seule véritable entrevue

Depuis que les Lavigueur ont remporté le plus gros lot de l'histoire du Québec, et de loin le plus célèbre, plusieurs journalistes ont sollicité le chef de la famille pour une entrevue complète. Les enfants, quant à eux, ne donneront aucune entrevue avant quelques années encore. Le mot d'ordre ne laisse place à aucune discussion : depuis la fin du procès contre Louise, seuls Jean-Guy et Sylvie peuvent répondre aux questions des journalistes, et ce, le moins souvent possible. Bien entendu, chacun est libre de faire ce que bon lui semble; seulement, les avocats de la famille les ont conseillés vers la discrétion et ont même suggéré à leurs clients de limiter les porte-parole à un seul.

Voyant comment les médias avaient le don de travestir certains propos et de s'attacher aux commentaires les plus anodins, en les déformant ou en les citant hors-contexte, Jean-Guy a toujours refusé de se livrer au jeu de l'entrevue, orgueilleux de sa vie privée et ne ressentant pas le besoin de faire une mise au point publique. Ce n'est qu'à l'automne 1989, alors que les médias se sont relativement calmés, que Claude Charron, un journaliste pour lequel Jean-Guy a toujours eu beaucoup de respect, parvient à lui soutirer un entretien devant les caméras.

Jean-Guy accepte donc de dévoiler sans détour ce qu'il a ressenti, ce qu'il a vécu depuis ce mémorable 1er avril 1986. Il donnera ses impressions sur sa nouvelle vie, sur les bouleversements qui ont suivi le gros lot et comment ceux-ci les ont affectés, lui et ses enfants. Le tout sera présenté dans le cadre du *Match de la vie*, lors d'une émission spéciale traitant de la loterie, des jeux de chance et de la situation des casinos au Québec, sur les ondes de Télé-Métropole. On prévoyait des cotes d'écoute importantes pour ce témoignage unique et de plus en plus attendu.

L'entrevue se déroule au château même, là où Jean-Guy se sent le plus à son aise. Même si l'équipe de caméramans est en place depuis quelques heures, Claude Charron et lui se sont donné rendez-vous au portail, comme s'il s'agissait d'une visite n'ayant rien de particulier. En se rencontrant, ils se serrent la main, échangent des sourires complices et sautent dans la voiturette électrique de Jean-Guy. Ils font ensemble le grand tour du propriétaire, du ponceau aux abords de la rivière, sans oublier les résidences principale et secondaire. Ensuite, c'est la visite du château lui-même et de ses dix-sept grandes pièces. L'invité se dit très impressionné par le domaine, que son hôte se contente de décrire comme étant «pas pire»…

Assis dans son salon, un verre de bière à la main, Jean-Guy répond candidement à toutes les questions de Charron. Même s'il dit être moins gêné qu'il y a quelques années, la caméra ne laisse rien échapper de sa timidité manifeste. Son amertume face à sa famille et sa belle-famille fait bientôt surface : «Presque tout l'monde m'a tourné l'dos… J'leur ai pas donné assez d'argent. Pour que tout l'monde soit content, y aurait fallu que j'me mette su'l'B.S. !» Charron croit comprendre que, même si l'homme est plus riche qu'il se serait jamais imaginé lorsqu'il habitait sur la rue Logan, il n'est pas plus heureux qu'à cette époque où la vie était si simple. Son intervieweur lui pose des questions élaborées sur la manière dont la loterie l'a transformé et en quoi sa perception des choses a changé. Aucun voyage n'est en vue, aucun projet ne semble l'intéresser. «J'vis au jour le jour», dit-il simplement, laissant percer un vague sentiment d'ennui.

Les réponses de Jean-Guy sont brèves et sont loin de relancer la discussion : «J'suis toujours pareil...» répète-t-il toujours. Enfin, il verbalise ce qu'on ressent de façon évidente depuis le début de l'entretien : «L'argent, ça m'a pas changé, mais ça a changé tout l'monde autour de moé !» On sent que Jean-Guy est peut-être un peu amer, et il a certainement raison de l'être. Personne ne peut prétendre connaître les pressions immenses qui reposent sur un homme qui, au lendemain de sa fortune, comprend que les gens autour de lui s'attendent à ce qu'il partage sa richesse avec tous. Ils ne l'*exigent* peut-être pas, mais ils espèrent tout de même...

Lorsque les difficultés qu'il a éprouvées avec sa fille Louise arrivent à l'ordre du jour, Jean-Guy n'hésite pas à partager le fond de sa pensée : «A' veut rien comprendre, ça fait que j'voulais rien savoir d'elle.» Charron n'insiste pas davantage.

L'émission, diffusée le 7 novembre 1989, connaît un vif succès, même si elle débute sur un ton peu hospitalier. On entend Jean-Guy dire, d'un ton sec et catégorique : «J'ai jamais accordé d'entrevue parce qu'avant d'être riche, j'intéressais personne. À c't'heure, tout le monde veut m'parler. Y en a qui forçaient ma grille d'entrée pour voir ma maison, ça fait qu'j'ai acheté une grille électrique pour avoir la paix.»

Heureusement, Charron n'a pas eu à recourir à des techniques de paparazzi pour décrocher son entrevue.

Le millionnaire misanthrope n'en accordera plus jamais.

La maladie de Louise

Louise ne se sent pas trop bien depuis quelque temps. Un malaise diffus l'importune de plus en plus, mais elle n'arrive pas à l'identifier. Elle se sent étourdie de plus en plus souvent, son cœur bat à vive allure, ses jambes lui donnent l'impression d'être terriblement enflées. Après avoir enduré son mal pendant quelques semaines, sa santé dépérit encore. Elle est maintenant épuisée, son regard est vide, son teint est blême. Son ami de cœur la supplie d'aller consulter un médecin, ce qu'elle se résout à faire le jour où elle arrive à peine à se tirer du lit.

Louise se rend à contrecœur à l'hôpital afin de savoir à quoi s'en tenir. Elle doit consulter plusieurs spécialistes et passer une batterie de tests. On réfère la jeune femme à une clinique spécialisée, puis à une autre. Enfin, à la suite de nombreux examens, les spécialistes déterminent la source du problème. Le verdict est très sombre et ne rassure en rien Louise et sa famille : le problème se situe à l'endroit du cœur. En considérant l'historique tragique des femmes de sa famille, dont plusieurs ont été emportées par des maladies cardiovasculaires à un âge relativement jeune, on la réfère aussitôt à une clinique spécialisée qui effectuera un suivi et déterminera la marche à suivre avec la patiente. Les médecins de l'Institut de cardiologie de Montréal arrivent rapidement à une triste conclusion :

Louise souffre d'hypertension pulmonaire et son cœur en est terriblement affecté. Son état est des plus lamentables; Louise n'a plus que quelque temps à vivre, lui annoncent les médecins.

Les spécialistes ont quelques solutions à lui proposer, mais celles-ci ne sont guère réjouissantes et ne feront peut-être que repousser de peu la progression de la maladie. L'une des options qui s'offre à Louise est la transplantation cœur-poumons. Une transplantation massive de ces deux organes vitaux n'est pas une opération impossible en 1991. Elle se fait par contre dans des conditions presque inhumaines et font vivre plusieurs émotions extrêmement difficiles au patient et à son entourage. Louise pourrait accepter d'être placée sur une fameuse «liste d'attente» dans l'espoir qu'une autre femme, dont le métabolisme correspond au sien, perde la vie sans que son cœur et ses poumons n'en soient affectés pour autant. Si telle était sa décision, elle devrait se plier à foule de règlements pour s'assurer une santé maximale. L'alcool, la cigarette et tous narcotiques seraient à bannir une fois pour toutes. Son corps serait pourtant bourré des drogues prescrites par les médecins sous forme de médicaments divers, qu'elle devrait prendre plusieurs fois par jour avec une fidélité absolue. Pire que tout, Louise devrait toujours avoir en sa possession un télé-avertisseur, qui pourrait lui signaler à tout moment qu'on a trouvé un donneur. L'angoisse d'avoir peut-être à se réveiller en pleine nuit pour se rendre de toute urgence dans la salle d'opération est déjà difficile à soutenir. Mais le plus pénible est sans doute

Dans le hall d'entrée du château, Jean-Guy a fait installer un bar. Sur cette photo, Yve est occupé à servir de nombreux invités venus assister à l'une des fêtes données par la famille Lavigueur. C'est Roger Sylvain, un ami de la famille, qui est redevable pour la présence des différentes vedettes. Au court des années qu'ils ont passées sur l'Île aux Pruches, les Lavigueur ont eu l'honneur d'accueillir Martin Stevens, Claude Valade et… Rose Ouellet, alias la Poune.

Yve n'a que 18 ans lorsqu'il gagne le gros lot. Pendant les trois premières années en tant que millionnaire, Yve paie la traite, comme en témoigne cette photo de voyage prise aux Antilles.

Le sort tragique qui poursuit les femmes de la famille Lavigueur s'abat finalement sur Louise.

En 1991, alors que les conflits et les rancœurs entre sa famille et elle se sont enfin apaisés, Louise apprend que ses jours sont comptés: elle souffre de problèmes pulmonaires et cardiaques et nécessite une tansplantation cœur-poumon. Louise doit courageusement renoncer à la vie. Elle n'a que 22 ans.

A la douce mémoire de

Louise Lavigueur
fille de
...ean-Guy Lavigueur
et de
...cheline Daudelin
...7 septembre 1991
...e de 22 ans

...sés dans les pleurs,
...us avec moi, quoi-
...s sommes encore
...onc pas celle que
...re.

...prières de tous ceux
...ue et aimée.

...Y Ltée, 1623 St-Hubert, Mtl.

Depuis le décès de Louise, les médias sont restés plutôt muets au sujet de la famille Lavigueur. La vie a repris son cours. Les enfants travaillent et Jean-Guy profite de sa retraite dorée. Ce n'est plus en faisant de la *coppre* qu'il remplit ses temps libres. À présent, c'est à la pêche qu'il s'adonne avec le plus grand plaisir.

de savoir que le télé-avertisseur maudit ne sonnera probablement jamais, et que cette dernière année passera dans une attente anxieuse et insoutenable.

À vingt ans, on se sait dans la fleur de l'âge, on se croit immortel. Mais lorsqu'on est condamné à mort, l'espérance, le sentiment de liberté et même la volonté de vivre sont presque anéantis. La décision est déchirante, mais Louise se rallie au choix qu'elle a pris spontanément en apprenant la gravité de sa condition. Elle finira sa vie avec son propre cœur et ses poumons affaiblis, et passera l'année qui lui reste à vivre à trouver du bonheur partout où cela est possible.

Au début, elle continue sa petite routine comme toujours en essayant de ne pas trop songer au sablier de sa vie qui se vide un peu plus avec chaque nouveau jour. Si son frère ne touche plus à la cocaïne, son problème de toxicomanie à elle est plus présent que jamais. De toute façon, pourquoi devrait-elle même se soucier de sa santé, qui périclite malgré tout ? Puis, au fil des mois, sa physionomie dégénère de plus en plus. Des douleurs tenaces se manifestent un peu partout sur son corps, son souffle se fait toujours plus rare et son apparence générale confirme qu'on a affaire à une grande malade.

Ses poumons fragiles ne l'empêchent pas de fumer autant que toujours. La cigarette lui tient compagnie pendant les longues heures qu'elle passe au lit, trop faible pour aller profiter des journées qui défilent trop rapidement. Elle ne manque jamais de marijuana non plus, laquelle lui est fournie généreusement par Yve, prêt à tout pour décrocher ne serait-ce qu'un minuscule sourire de sa sœur. Le cannabis lui fait oublier sa douleur le temps de quelques bouffées et lui permet de se reposer un peu. Son frère ne la juge absolument pas pour la décision qu'elle a prise. D'ailleurs, s'il venait à se retrouver dans sa position, il ferait probablement la même chose, et ses bêtises ne se limiteraient certainement pas à la simple consommation de marijuana.

Sa famille la laisse griller ses cigarettes et rouler ses «joints» sans mot dire. Le médecin de Louise leur a confié sous toutes réserves que ce ne serait pas nécessairement la meilleure idée que de l'empêcher de fumer des narcotiques. Selon lui, cette drogue contribue à ouvrir le maigre appétit de la patiente, dont l'estomac est chambardé par les cocktails de médicaments qu'on lui fait prendre quotidiennement. Dès que ses visiteurs la voient, ils savent si Louise a fumé ce jour-là : lorsqu'elle s'est permis ce plaisir, son humeur est moins basse, sa langue se délie un peu et l'on perçoit moins ses souffrances.

Yve essaie d'être optimiste, mais de voir sa sœur dépérir davantage chaque jour le prive presque de tout espoir. Lorsqu'il la trouve en pleurs, il n'hésite pas à la prendre dans ses bras pour la consoler, tout en sachant qu'il ne peut pas faire grand-chose pour apaiser sa douleur. Leur père croyait aussi que Louise allait se remettre de sa maladie, malgré tous les spécialistes qui lui assuraient le contraire. Si Jean-Guy croit de moins en moins au rétablissement de sa fille, il n'en laisse rien paraître, afin de ne pas nuire au moral déjà ébranlé de sa famille.

Le procès qui a opposé Louise aux autres est loin derrière eux. À un moment, son père et elle ne se parlaient même plus; Yve s'improvisait interprète lorsque les deux chicaniers avaient malgré tout quelque chose d'important à se dire. Aucune rancune ne résiste cependant à la solidarité qui unit leur famille en cette situation tragique.

Ce qui est le plus terrible pour tous, c'est le sentiment que leur fortune est impuissante devant la calamité qui menace l'une des leurs. Même si chacun jure qu'il donnerait tout ce qu'il a pour que Louise guérisse, de ses biens et économies jusqu'à son propre poumon, ces «marchés» imaginaires demeurent futiles. Tout l'or au monde ne pourrait redonner une santé à la jeune femme. «À c't'heure, tout est possible !» s'étaient dit ses enfants lorsqu'ils étaient devenus millionnaires. Le départ de Louise, promis sous peu, les force à se questionner sur la vanité qui leur est venue en prime avec la richesse.

Ses séjours en clinique sont de plus en plus fréquents et durent plus longtemps à chaque fois. On la drogue, soit pour calmer les symptômes, soit pour faire diminuer cette douleur qu'elle arrive difficilement à décrire. Puis, au premier répit, ou lorsqu'elle s'en sent le courage, elle range ses accoutrements d'hôpital et rentre à son logement. Chez elle, Ti-Mi prend la relève des thérapeutes dans les soins de sa partenaire, dans l'attente d'une nouvelle rechute.

Les mois défilent, et le pronostic demeure le même. Il arrive parfois que Louise veuille qu'on la considère pour une transplantation et accepte de se plier à toutes les modalités qui lui donneraient droit à une place sur la liste d'attente. Ces reflux soudains de bonnes intentions sont pourtant de courte durée : Louise finit toujours par se rallier à sa première idée, jugeant qu'il vaut mieux se laisser mourir tranquillement que de sacrifier des instants précieux à se préparer pour ce qui n'arrivera probablement jamais.

À un moment, il lui devient impossible de prendre soin d'elle-même. Son état empire toujours plus rapidement, et elle refuse de voir l'homme qu'elle aime se faire infirmier à temps complet pour soigner ses maux. L'inévitable se produit bientôt : Louise s'installe une fois de plus au château des Lavigueur, où elle passera ses dernières semaines de maladie. La porte lui a toujours été ouverte, et on lui a offert l'hospitalité avec autant plus d'insistance lorsqu'on a appris que ses jours étaient comptés. Mais Louise, qui s'était juré qu'elle n'habiterait plus jamais avec son père, avait été trop orgueilleuse pour prendre asile chez lui. À présent, plus question de lui désobéir; elle n'en a d'ailleurs plus la force.

À chaque minute de chaque jour, on entend résonner dans le château les toussotements de Louise, qui l'épuisent et l'assaillissent parfois jusqu'à l'étouffer. Sa famille ne peut faire rien de plus que lui parler, la soutenir moralement et tenter de lui changer les idées un peu. Mais chaque nouvelle crise de toux rappelle que la fin est inévitable, et toujours plus proche.

Bientôt, le simple réflexe de respirer devient pour elle une corvée difficile. Son corps ne ressent plus le besoin pour la nicotine. De toute manière, elle n'aurait même pas l'énergie nécessaire pour inhaler de cette «boucane» maudite. À présent, personne n'a le droit de fumer dans l'environnement aseptisé qu'on a préparé pour Louise à l'étage du château. Le calme règne dans sa chambre, ses quintes de toux se font de plus en plus faibles. Dans les moments plus tranquilles de sa lutte, un téléviseur la distrait un peu, entre les visites de ses frères et sa sœur et les bouffées d'oxygène qu'elle prend à même un masque relié à une bombonne.

Malgré l'équipement fourni par les thérapeutes, malgré les médicaments qu'on lui administre toujours et les consignes données à sa famille sur les traitements qu'on doit lui administrer, Louise s'éteint peu à peu.

Le 7 septembre 1991, on la trouve qui respire plus anormalement que jamais. Toute la famille s'est habituée à sa mine souffreteuse, mais cette fois, on a de la peine à la reconnaître. «N'hésitez pas à appeler du secours si son état s'aggrave démesurément», leur avaient dit les spécialistes. Louise parvient à marmonner quelques mots, au travers lesquels on arrive à comprendre qu'elle veut voir le docteur. Moins de dix minutes plus tard, des ambulanciers envahissent la chambre de la malade. En la voyant, ils n'hésitent pas une seconde : la jeune femme requiert prestement des soins intensifs.

L'ambulance fonce vers l'Institut de cardiologie de Montréal. Yve saute dans sa propre voiture avec sa copine qui se trouvait au château, et entreprend de suivre le véhicule d'urgence qui fait briller ses gyrophares et hurler sa sirène. Dès que les secouristes arrivent à destination, on dépêche Louise dans une salle d'urgence, où un premier médecin s'empresse de l'examiner. Les autres membres de sa famille débarquent bientôt dans l'espoir qu'on les rassurera. Les nouvelles sont mauvaises : Louise est en phase terminale de sa maladie, et l'on ne peut rien faire pour l'aider sinon lui donner des drogues puissantes pour apaiser son supplice. On les conduit tour à tour au chevet de la mourante. Ils la trouvent inconsciente dans son lit d'hôpital, branchée sur toutes sortes d'appareils, dont un qui résonne au rythme lent et irrégulier de son cœur. Jean-Guy fait ses adieux à sa fille, tandis que ses autres enfants pleurent la perte imminente d'une troisième sœur.

Louise sera incinérée dans la plus stricte intimité, sans cérémonie et sans que son corps ne soit exposé, selon des vœux exprimés peu de temps avant sa mort. On l'enterrera par la suite au cimetière Saint-François-d'Assises, le «cimetière de l'Est», comme plusieurs l'appellent, au même endroit où reposent ses sœurs, sa mère, et ses grands-parents.

Jean-Guy a loué une portion de terrain en ce cimetière il y a plusieurs années. Il prévoyait un endroit où tous ceux qui lui sont chers seraient unis pour la vie, sous une même pierre tombale modeste, tout juste assez grande pour qu'on puisse y graver le nom des défunts. L'une des premières dépenses qu'il s'est permise lorsqu'il a gagné le gros lot a justement été de se porter acquéreur du site où sa femme et ses filles ont été enterrées.

Après la cérémonie, la vie reprend son cours peu à peu. Les journaux parlent brièvement de la mort de cette jeune femme devenue célèbre grâce au conflit qui avait suivi le gain prodigieux de sa famille. Si les détails que rappellent les journalistes quant à la fameuse discorde sont plus ou moins justes, on fait preuve cette fois d'un respect minimal à l'égard des Lavigueur.

CHAPITRE HUITIÈME

La vie sur l'Île aux Pruches

En 1990, Michel a dix-huit ans et devient enfin seul maître de sa fortune. Dès les premiers jours de sa majorité, il doit prendre une décision importante : il a le loisir d'investir dans le château familial, tel qu'il entendait le faire il y a trois ans, ou de renoncer à la propriété, ce qui aurait pour résultat qu'il n'y soit plus tout à fait chez lui. Jamais son père ne lui demandera de partir, mais si Michel veut demeurer au domaine, il serait souhaitable qu'il s'acquitte d'une part égale à celle de ses frères et sœur.

Sa décision mûrit depuis plusieurs mois : Michel a envie de changer d'air et veut vivre de nouvelles expériences. Les années qu'il a passées au château seront toujours parmi les plus chères de sa vie, mais il sent qu'il est temps pour lui de passer à autre chose. Yve et Sylvie ne lui en tiennent pas rigueur. Comment exiger que leur jeune frère reste fidèle à un engagement qu'il a pris alors qu'il n'avait que quinze ans ?

Ainsi, le jeune adulte s'empresse de s'installer avec sa petite amie dans une maison bien à eux, au cœur d'un tout nouveau développement résidentiel sur la rive sud de Montréal. Ils vivront ensemble plusieurs années heureuses dans cette maison – petite, comparée au château, mais largement suffisante pour leur couple –, où ils élèveront leur premier enfant, promis sous peu.

Au début, Michel fréquente assez régulièrement le reste de sa famille. Il revient au château de temps à autre pour saluer la compagnie ou pour parader sa fillette dont il est si fier, ce qui n'est pas pour déplaire à Jean-Guy, heureux de se retrouver grand-papa. Avec le temps par contre, les visites de la jeune famille se font plus rares, si bien que près de deux ans s'écoulent sans que Michel et Yve ne se serrent la pince.

À cette époque, les deux frères sont encore bien jeunes, et leur vie de millionnaire ne fait rien pour contrer le penchant naturel de la jeunesse pour les plaisirs et les excès. Lorsqu'ils se retrouvent enfin, les célébrations sont de mise : tous deux font la fête toute la nuit et jusqu'aux petites heures du matin, moment auquel ils rentrent au château, grisés par la bonne bière qui a coulé généreusement depuis le coucher du soleil. Malgré les bons souvenirs ressassés par les deux frères, malgré la bonne humeur qui ne les a pas quittés depuis leur premier verre, un malentendu dégénère en chamaille et se termine en pugilat.

L'un et l'autre ne savent même plus trop pourquoi ils se disputent et Sylvie, leur grande sœur, essaie tant bien que mal de les séparer. Lorsque la rudesse de leur lutte rejoint la violence des propos qu'ils se crient à tue-tête, leur spectatrice paniquée décide de passer à l'action : si elle n'arrive pas à raisonner ces deux nigauds, c'est la police qui s'en chargera !

Avant que les policiers n'arrivent sur les lieux, Yve et Michel ont fini par lâcher prise. Tandis que le cadet rentre au château, toujours furieux de l'affrontement qui est demeuré sans issue, son grand frère fait monter son fidèle berger allemand dans sa voiture, s'installe derrière le volant et démarre pour un parc tranquille à quelques coins de rue de chez lui. Yve entendait aller donner une bonne promenade à son chien et décompresser un peu, mais il ne se rendra pas bien loin. En franchissant les hautes barrières qui délimitent son terrain, une voiture de police lui barre la route. Une lampe de poche à la main, l'autre sur leur arme à feu, les agents de paix s'approchent lentement du véhicule d'Yve et le somment de sortir. Ne souhaitant pas une nouvelle confrontation, il s'exécute le plus calmement du monde.

Yve et les policiers échangent quelques mots, puis un policier lui dit : «Vous êtes en état d'arrestation pour conduite d'un véhicule avec capacités affaiblies.» Yve n'y comprend rien. Il n'a même pas foulé la voie publique avec sa voiture. Les policiers ne lui laissent pas la chance de s'expliquer : on lui lit ses droits, après quoi on le conduit au poste pour le soumettre à l'alco-test. Cet examen l'incriminera effectivement.

Yve avait «la garde et le contrôle de son véhicule routier», pour emprunter les termes exacts de son avocat. On lui conseille de plaider coupable au chef d'accusation qui pèse contre lui, ce qui lui vaut de perdre son permis de conduire pour une année complète, en plus de payer une amende symbolique de quatre cents dollars. Les médias ne feront pas de cas de cet incident. Yve ne s'objecte pas trop bruyamment non plus afin de ne pas susciter la curiosité des journalistes, toujours avides d'une histoire croustillante au sujet de leur famille de millionnaires préférée.

La discorde avec son frère se règle aussitôt que tous deux retrouvent leur sobriété. L'enivrement de la veille a été à l'origine d'une escarmouche qu'ils ne sont pas à la veille d'oublier; cela ne les empêche pourtant pas de se pardonner, chacun étant un peu honteux de la façon dont il s'est comporté. Certes, leur fortune leur permet une liberté à laquelle d'autres ne peuvent même pas aspirer. Elle ne les place cependant pas au-dessus de la loi.

Les locataires

Même si les locataires de la résidence secondaire paient leur loyer sans faute à chaque début de mois, ils n'épargnent pas les propriétaires de tous soucis. Les Lavigueur ont toujours trouvé étrange cette famille qui avait pour animal domestique un énorme perroquet, gros comme un aigle. «J'laisserais pas mon chien l'approcher», dit souvent Yve, blagueur. «C't'oiseau-là serait ben capable d'l'avaler tout rond !» Les incertitudes qu'ils ont au sujet de la famille Roux ne se limitent pas toutefois à leurs choix originaux en matière d'animaux de compagnie. Le père, qui œuvre dans le domaine du «coffrage», c'est-à-dire dans l'édification de structures de béton, semble au premier abord mener une vie paisible. La rumeur veut par contre qu'il soit alcoolique, drogué et continuellement bourré de médicaments divers qui font de lui un dangereux zombie. «Tant qu'y nous laisse tranquilles, tranche Jean-Guy, c'qu'y fait chez lui nous concerne pas !»

Un soir, Sylvie entend des cris d'épouvante provenant de la maison du jardinier. Elle reconnaît aussitôt la voix de la compagne de monsieur Roux. La pauvre femme hurle de peur devant les menaces de violence physique que lui envoie son mari. Sylvie ferme son livre et va à la fenêtre, se tenant sur ses gardes, mais ne voit rien. Elle ne se doute pas que l'autre femme s'est enfuie au pas de course pour aller se réfugier avec son fils dans une maison voisine non loin de l'île, où elle fait aussitôt appeler la police.

Monsieur Roux, enivré une fois de plus, sort de chez lui et se met à chercher désespérément son épouse, avec des intentions pour le moins malveillantes. Soudain, il se pointe le nez dans la fenêtre qui donne sur la salle à déjeuner du château, où Sylvie s'est replongée dans sa lecture. Sa voix, qui traverse la moustiquaire, la fait sursauter : «Eille, ma femme est-tu là ?» L'air sinistre et la démarche chancelante de l'homme n'ont rien pour la rassurer. Elle affirme ne pas l'avoir vue de la soirée, ce qui ne semble pas suffire à monsieur Roux : «Mens-moi pas, ma p'tite… Si ma femme est là, y faut qu'tu me l'dises, pis tout de suite !» Sylvie se lève et recule d'un pas, inquiète par le ton agressif de son locataire. Elle s'aperçoit ensuite que l'homme a un fusil à la main, ce qui lui coupe nettement le souffle. «J't'assure qu'est pas là», répète-t-elle, la voix tremblotante et au bord des larmes. Cette fois, il décide de rebrousser chemin. Sylvie s'accroche aussitôt au téléphone pour alerter les autorités civiles du malheur qui se prépare.

À peine quelques minutes plus tard, l'Île aux Pruches est envahie par des agents de paix de tout acabit, dont des membres de l'escouade tactique de Laval, qui se préparent pour une intervention d'urgence. Monsieur Roux s'est barricadé chez lui, et il menace maintenant de résister aux forces policières à l'aide d'armes à feu. On le somme de se rendre, lui expliquant que la situation est sans issue mais, tel un forcené, il tarde à coopérer. Puis, lorsqu'on annonce que le dernier avertissement lui a été servi, monsieur Roux sort de la maison, les mains au-dessus de la tête. Les agents de police procèdent aussitôt à l'arrestation et entreprennent d'inspecter les lieux. Ce qu'ils trouvent n'a rien d'anodin : le garage est rempli de fusils de chasse et de munitions de toutes sortes. On y recense assez d'arsenal pour fournir une petite armée se préparant à faire un coup d'État !

Chose étrange, monsieur Roux est libéré sous cautionnement peu après son arrestation. Les Lavigueur lui adressent aussitôt une lettre lui signifiant qu'il doit quitter les lieux avant la fin du mois et ne plus jamais y revenir. L'homme s'excusera de tout cœur et les suppliera pour qu'on lui accorde une seconde chance, mais les propriétaires ne voudront rien entendre. «Pus jamais tu vas nous faire peur de même», lui envoie Yve, avant de lui montrer le chemin qui conduit à la limite de l'île.

L'aventure sera la plus troublante de toutes celles qu'ont vécues les Lavigueur dans leur domaine de Laval. Plus jamais ils n'auront affaire à cet énigmatique personnage, plus jamais ils n'entendront croasser son curieux perroquet au milieu de la journée. Le soir par contre, lorsque Sylvie se retrouve seule et que l'air est lugubre, elle ne peut s'empêcher de s'imaginer la silhouette de monsieur Roux qui l'épie par chaque fenêtre de la maison.

Les Lavigueur font la fête

Des fêtes et des parties de toutes sortes ont secoué l'Île aux Pruches plus d'une fois depuis que les Lavigueur s'y sont installés. Des barbecues et des épluchettes de blé d'inde se prolongent parfois jusqu'à bien tard dans la nuit et, souvent, la foule qui s'y trouve est si dense qu'on arrive à peine à s'y retrouver. Les uns jouent au volley-ball près de la piscine, pleine à craquer d'heureux baigneurs; d'autres s'alignent par dizaines sur le bord de l'eau, le bâton de golf à la main, pour envoyer dans la rivière les balles qu'ils frappent entre deux gorgées de bière. La musique est toujours assurée par un groupe de musiciens qui fait danser les convives jusqu'au bout de leur souffle, et quelques vedettes prennent parfois la parole devant les autres pour les divertir un peu jusqu'à la prochaine ronde.

C'est Roger Sylvain, un reporter pour un journal populaire s'étant lié d'amitié avec la famille depuis quelque temps, qui est normalement redevable pour la présence des différentes vedettes. Au court des années qu'ils ont passées sur l'Île aux Pruches, les Lavigueur ont eu l'honneur d'accueillir le célèbre Martin Stevens, Claude Valade et... Rose Ouellet, alias la Poune, qui est devenue une bonne amie de Jean-Guy.

Ces fêtes, qui se préparent surtout à l'initiative d'Yve – qui a toujours aimé s'entourer de monde – n'ont pas l'heur de plaire à tous les résidents du château. N'oublions pas que c'est par un souci d'intimité et de paix qu'ils s'étaient portés acquéreur de ce domaine reclus trois ans plus tôt. Mais Yve a vingt ans et il a de l'argent; il est normal qu'il veuille fêter en grand. Après tout, les jeunes gens aiment s'amuser, même si tous n'ont pas les moyens du célèbre millionnaire. Ainsi, quand Yve ne prévoit pas une nouvelle escapade dans les Antilles avec quelques heureux élus, il organise des réceptions bruyantes qui s'éternisent jusqu'aux petites heures du matin.

La réputation des virées chez les Lavigueur est telle que, un jour, l'échevin de la municipalité de Laval vient trouver Jean-Guy pour lui demander une faveur peu commune. La fête nationale approche, et l'on a chargé le brave homme d'organiser les festivités qui entoureront la grande journée. «Nous aimerions bien que la fête se déroule sur votre île. L'endroit est charmant, prestigieux, et nous sommes certains de pouvoir y attirer une foule nombreuse !» L'échevin devra pourtant trouver un autre endroit où festoyer. La perspective de voir des centaines d'étrangers envahir son terrain ne l'intéresse aucunement; d'ailleurs, qui va assumer le nettoyage des lieux au lendemain ? Qui va s'occuper des restes de feux de joie, des dommages causés au terrain et des mille et un ennuis qui sont à prévoir lors d'une telle soirée ? La fête nationale devra se dérouler ailleurs, ce qui n'empêchera pas les Lavigueur de célébrer la journée par une de leurs propres fêtes proverbiales.

C'est Michel qui emménagera d'abord dans ce que l'on continuera d'appeler «la maison du jardinier», avec sa conjointe et leur jeune fille. Cette belle demeure offre un confort non négligeable, en plus de tous les bienfaits de la vaste Île aux Puches. Même si l'on n'exige de lui qu'un loyer assez modique, il n'y habitera pas bien longtemps, préférant retrouver la rive sud où il a passé les premières années de sa majorité. Sylvie ne perd pas de temps pour prendre sa place. Les trois chambres à coucher et les deux salles de bains de cette maison lui donnent un sentiment d'intimité incomparable à ce dont elle avait droit dans le château de dix-sept pièces. De plus, en n'ayant pas à consulter les deux autres copropriétaires pour la décoration, elle peut se permettre de l'aménager à son goût. Même si elle est en droit de revenir à tout moment habiter dans la résidence principale, elle la fréquentera de moins en moins. Dans la maison du jardinier, Sylvie trouve un peu plus de calme qu'au château, dans lequel beaucoup trop de gens défilent depuis qu'on y fait autant de fêtes.

Son nouveau style de vie lui permet moins que jamais de passer ses journées à se prélasser et profiter de sa vie de millionnaire sans se soucier des lendemains.

L'aînée des enfants Lavigueur s'est associée avec son père récemment pour ouvrir un salon de coiffure. Lorsque l'idée lui est venue de devenir styliste, Sylvie s'est inscrite à un programme de l'école de Nicole Bisson et a appris les bases de ce métier qu'elle dit adorer. Son entreprise, qu'elle a baptisée «Syl-de-vie», est située sur le boulevard des Laurentides, dans un nouveau centre commercial du secteur de Vimont, à Laval. Le jour de l'inauguration du salon, Jean-Guy, qui la laissera gérer l'entreprise, est venu souhaiter à sa fille la meilleure des chances, tout comme l'ont fait différentes personnalités, dont Rose Ouellette, Claude Valade, Richard Abel et Julien Bessette. La célébrité de son nom lui vaut beaucoup de publicité et une clientèle abondante. En effet, Sylvie passera quelques années fort heureuses à diriger une petite équipe de coiffeuses et d'esthéticiennes, tout en maniant elle aussi le peigne et les ciseaux. Puis, lorsque les affaires se mettent à péricliter, lorsque son enthousiasme pour le salon s'apaise et que les journées semblent s'allonger davantage chaque semaine, Sylvie ferme boutique. Son père et elle y perdent un peu, mais leur situation financière n'en souffre point. Pour l'instant, la jeune femme cherche à retrouver la simplicité de sa vie avant le 1er avril 1986. Mais cela ne saura durer : dans les mois qui suivent, elle investira dans une nouvelle société.

La fin du rêve

Jean-Guy, Sylvie et Yve demeureront pendant huit bonnes années ensemble dans leur château. Huit ans de paix et de bonheur, qu'ils ne regretteront jamais, malgré les tourments que leur ont infligés les gens de la presse, malgré aussi les différends qu'ils ont eus parfois au sujet de l'entretien de la propriété ou de certaines décisions importantes qui devaient être prises. Si tous les trois en seront propriétaires pendant dix années complètes, seul Yve y habitera jusqu'à la toute fin. Jean-Guy s'achètera une maison plus discrète à Terrebonne, où il passera de plus en plus de temps avec sa nouvelle compagne, jusqu'à ne rentrer au château que quelques rares fois par mois. Pour sa part, Sylvie tombera en amour, quittera la «petite» maison canadienne de l'Île aux Pruches et ira vivre avec celui qu'elle considère être «l'homme de sa vie». Bientôt, le domaine ne connaît d'autres occupants qu'Yve, sa conjointe et leur fille nouvellement née, qui habitent ensemble dans la résidence principale. Le noyau familial a éclot, d'autres se formeront là où les Lavigueur s'installeront.

Il vient finalement un temps où Jean-Guy et Sylvie veulent se départir du domaine. Yve préférerait le garder et y vivre encore de longues années, mais il lui faudrait pour cela racheter les parts des deux autres propriétaires, ce qu'il n'a pas les moyens de faire pour l'instant. Autant l'adaptation à sa nouvelle vie de rêve a pu être difficile au cours des premières années, autant il trouve aujourd'hui déchirant de se départir de ce qui est devenu son «havre de paix et d'amour», comme il aime dire. Ses tentatives pour convaincre les autres de conserver encore quelque temps cet investissement sont vaines : personne n'est attiré par les projets d'Yve, qui aimerait transformer la maison en une résidence pour personnes âgées ou en un gîte du passant, ces fameux *bed and breakfast* dont tout le monde parle. Ainsi, on mettra le château des Lavigueur en vente d'ici peu, ce que l'on ne manquera pas de signifier dans quelques journaux.

En 1995 donc, les Lavigueur sont prêts à se départir de l'Île aux Pruches – terrain, résidence principale et maison du jardinier compris – pour la somme rondelette d'un million de dollars. Leur domaine vaut bien les 850 000 $ qu'il leur a coûtés il y a bientôt dix ans, et il est honnête de croire que leur investissement a fructifié de quelques milliers de dollars depuis qu'ils en ont fait l'acquisition. De plus, ils ont fait creuser une grande piscine à l'arrière, ont fait installer un éclairage complet du terrain et ont fait clôturer l'île en entier d'une grille électrique, idéale pour assurer un minimum de paix et de sécurité à ses résidents. Le montant espéré pour la maison laisse de la place pour un peu de négociation, mais Jean-Guy, Sylvie et Yve entendent toutefois toucher un bénéfice intéressant en quittant Laval.

Nicole Hamel, qui s'était mérité la palme d'agent d'immeuble de l'année pour avoir assuré la vente de la propriété aux Lavigueur en 1986, en plus de toucher un profit inespéré, ne participera pas à la nouvelle transaction. Les propriétaires entendent d'abord vendre leur château sans intermédiaire et, de sorte, éviter les frais importants qui reviendraient à la société immobilière qui les représenterait. L'exercice se complique cependant – distinguer les véritables acheteurs potentiels des simples curieux est en soi éreintant – ce qui les convainc avant longtemps de solliciter l'aide d'un professionnel.

Le mandat de la transaction revient à un agent immobilier indépendant du nom de René Trudeau, qui prévoit faire un gros coup d'argent en trouvant preneur au château. La réputation de ce travailleur acharné – un ami de longue date à Jean-Guy – n'est plus à faire : en plus d'avoir un dossier impressionnant, auquel de nouvelles ventes ne cessent de s'ajouter, il a écrit un livre sur le métier d'agent immobilier, dans lequel il dévoile tous les trucs et astuces qu'il a appris au cours de sa carrière. Le contrat qu'on lui propose aujourd'hui représente certes un défi de taille – même pour un agent de sa trempe –, mais peut aussi s'avérer très lucratif. On lui impose une seule contrainte : les Lavigueur ne tiennent pas à voir sur leur terrain une pancarte signifiant que leur domaine est à vendre. De toute manière, les médias se sont déjà chargés de rendre publique cette nouvelle.

À un moment, un joueur de base-ball des Expos de Montréal semble intéressé par le château. Afin de susciter le plus d'intérêt possible, on tourne un court film exposant les points saillants du domaine; l'athlète finit toutefois par se désister. On ne perd pas le moral pour autant : la vidéo s'avérera certainement utile pour attirer de nouveaux acheteurs potentiels. De fait, une congrégation de sœurs se dit prête à faire une offre d'achat sur le domaine. Dans leur esprit, le château serait idéal pour loger une communauté de religieuses lavaloises. Les dévotes ne peuvent malheureusement pas faire l'acquisition d'une telle propriété sans l'approbation papale, qui ne leur sera pas accordée. Il semblerait que, selon le Vatican, le domaine fastueux que les bonnes sœurs lorgnaient ne coïncide pas avec le vœu de pauvreté qu'elles ont prononcé.

Une famille arabe se dit aussi intéressée par le château, mais ne fait aucune offre. Lorsqu'ils viennent visiter les lieux, le père se contente de sourire à tout ce qu'on lui montre, tandis que sa femme et ses enfants s'occupent à récolter quelques-unes des pierres blanches qui décorent les pourtours de la piscine ! Même si ce riche magnat du pétrole laisse sous-entendre que la propriété lui convient parfaitement, les Lavigueur n'entendront plus jamais parler de lui.

❖

Le marché de l'immobilier n'est pas prospère au début des années quatre-vingt-dix. Ceux qui désirent acheter profitent régulièrement d'aubaines qui font rager les vendeurs et contribuent à diminuer la valeur des maisons au Québec. Les Lavigueur n'échappent pas à cette dure réalité : le prix auquel ils espèrent vendre leur château a déjà chuté de deux cents mille dollars, et toujours aucune proposition sérieuse ne leur a été présentée. Les propriétaires essaient tant bien que mal de se convaincre que, même s'ils obtiennent moins d'argent pour leur demeure que ce qu'ils y ont investi, il est essentiel de céder la maison au premier acheteur intéressé afin de minimiser leurs pertes.

Une offre d'achat leur vient enfin, de la part d'un *autre* agent d'immeuble. Agissant d'abord au nom d'un client, Richard Turcot achète finalement lui-même l'Île aux Pruches et ses bâtiments dans le but d'en faire des lots et de les revendre séparément. La vente se fait toutefois à rabais : la famille Lavigueur n'obtient en fin de compte que 600 00 dollars.

Tout le monde a trouvé son compte dans ce marché, les Lavigueur y compris. Lorsqu'on leur demande de partager leurs impressions sur le fait qu'ils aient vendu leur propriété à un prix aussi bas, ils n'hésitent pas à dire qu'ils sont heureux de ce qu'ils ont obtenu. «Compte tenu de l'état actuel du marché de l'immobilier», affirme Sylvie avec assurance, «on est chanceux d'avoir pu la vendre à ce prix-là !»

Une dernière péripétie

Peu avant le déménagement, Yve rentre chez lui avec deux amis et trouve la porte patio grand ouverte. Sachant que son père, son frère et sa sœur n'y sont pas, lui et ses copains se font prudents en entrant. Après vérification, ils ne remarquent rien d'anormal à l'intérieur. Soulagés que rien de fâcheux ne se soit produit, ils essaient simplement d'oublier l'incident. Quelques minutes plus tard, on sonne à la porte.

Yve, qui est à l'étage, demande à l'un de ses amis de répondre. Celui-ci ouvre à un homme d'apparence peu soignée qui se présente aussitôt comme un agent au service du gouvernement fédéral. «Pourrais-je parler avec le propriétaire de cette maison ?» lui demande-t-il avec le plus grand sérieux. Yve arrive en vitesse pour se rendre compte de la situation, puis s'empresse de se présenter comme étant le chef des lieux. L'homme a de la peine à le croire : «*Vous* êtes le propriétaire de cette immense demeure ?» demande-t-il sur un ton méfiant. Yve ne se laisse pas démonter : «Oui monsieur. J'peux-tu vous aider ?» Le survenant lui montre une lettre et lui dit qu'il doit à tout prix la remettre en mains propres à un certain monsieur Roux. «Y vivait dans 'maison au bout du terrain», lui répond-il. «Ça fait longtemps qu'y reste pus là.

J'peux lui faire parvenir votre lettre, si vous voulez. En passant, j'peux-tu voir votre carte d'identité ?» L'homme affiche un air furieux. Après avoir affirmé qu'il n'avait pas ses papiers sur lui, il tourne les talons pour se diriger vers son véhicule.

Après avoir discuté avec ses copains de ce qui vient de se produire, Yve conclut que cet étrange personnage était celui-là même qui avait ouvert la porte du château, et qu'il s'apprêtait vraisemblablement à dévaliser la maison. «Si c'te bonhomme-là est un agent du fédéral, dit un de ses amis, moé, j'suis le Premier ministre du Canada !»

Peu de temps après, tous les trois repartent pour Montréal. Yve ressent un malaise en réfléchissant à l'incident, mais essaie de se convaincre que l'affaire est réglée. En chemin vers la métropole, il est pratiquement muet, se sentant de plus en plus angoissé par ce qui vient de se produire chez lui. Puis, au beau milieu du boulevard Pie-IX, son inquiétude prend les commandes. «Les gars, y faut r'tourner au château. J'suis certain qu'le gars de tantôt est en train d'nous voler !» Les deux autres ne sont pas du même avis, mais c'est Yve qui tient le volant. Il fait aussitôt demi-tour et fonce vers sa maison, là où il est convaincu qu'un crime est en cours.

En approchant l'Île aux Pruches, ce qu'il soupçonnait se confirme : la voiture de ce soi-disant agent fédéral est stationnée devant la barrière qui donne sur l'île. Yve court vers la maison d'un voisin pour lui demander de faire venir la police de toute urgence. Les gendarmes arrivent sur les lieux quelques minutes plus tard.

C'est Yve qui les accueille puis, après s'être dûment identifié, leur explique la situation en détails. Les policiers appellent aussitôt au poste pour demander du renfort, lequel ne tarde pas à se présenter. En jetant un œil dans la voiture, les agents de paix se rendent compte de l'équipement qui se trouve sur la banquette arrière : les instruments d'un serrurier, le matériel qu'utiliserait un élagueur pour grimper aux arbres et d'autres outils qui composent l'attirail d'un voleur en règles. Yve ne s'est certes pas trompé : on a définitivement affaire à un cambrioleur.

En avançant vers le château, les policiers sortent leur arme. On y pénètre avec la plus grande prudence puis, après avoir exploré minutieusement les lieux, on en vient à la conclusion qu'aucune infraction n'a encore été commise. Yve est perplexe. Soudain, il émet une hypothèse sur l'endroit où son voleur peut bien se trouver : «Y a une autre maison, au bout d'l'île. C'est là qu'y doit être !» Les policiers répètent leurs techniques d'intervention à la maison du jardinier, et cette fois, leurs démarches s'avèrent plus fructueuses.

Alors qu'il regarde par la fenêtre, un des constables aperçoit un homme. Celui-ci est occupé à vider une commode, probablement à la recherche d'effets de valeur.

Il fait aussitôt signe à ses collègues, qui comprennent qu'ils doivent encercler la maison. Lorsque tout le monde est en place, le fusil braqué sur leur larron, l'un d'entre eux lui crie : «Plus un geste !» Le voleur s'en permet toutefois un dernier : afin qu'on ne puisse l'associer au véhicule qu'il conduit, il envoie son trousseau de clés sous le réservoir à eau chaude.

Avant d'avoir l'occasion de réagir davantage, l'homme se retrouve couché à plat ventre, les mains menottées derrière le dos. On récupère aussitôt les clés de la voiture, qu'il a si malhabilement tenté de dissimuler, lesquelles correspondent effectivement à la voiture qui, par hasard, avait été volée quelques jours plus tôt !

«Vous pouvez l'arrêter, lui aussi !» crie-t-il en direction d'Yve. Je l'ai trouvé en train de dévaliser le château». Il est vrai qu'Yve, dans ses jeans débraillés, n'avait rien d'un propriétaire de château. Cet instant est pour Yve des plus savoureux : «J'vous l'ai dit, cher monsieur : *je suis* le propriétaire d'la maison !» Indigné, l'homme se laisse entraîner vers la voiture de police. Yve et ses amis célèbreront avec faste cet exploit, et passeront les semaines qui suivent à se raconter l'aventure dans ses moindres détails.

Ce qui se déroule maintenant à l'Île aux Pruches devrait être le moindre des soucis des Lavigueur, mais pourtant, plusieurs présument le pire au sujet des Lavigueur. On va jusqu'à croire que les anciens propriétaires du château sont affiliés aux *Hell's Angels*, ou encore qu'ils ont encouru des dettes envers ces dangereux motards, ce qui les a poussé à leur céder leur propriété. Que le grand public propage des bêtises sur leur compte passe toujours – d'ailleurs, ils y sont bien habitués ! – mais le jour où ces idées s'ancrent dans l'imaginaire des autorités provinciales, les Lavigueur se sentent plus vulnérables que jamais.

Un matin, près d'un an et demi après que les Lavigueur se soient départis de leur maison, un enquêteur de l'escouade Carcajou sonne à la porte d'Yve Lavigueur, qui habite maintenant à Montréal. Il ne comprend pas pourquoi cet agent de la paix tient à s'entretenir avec lui mais, n'ayant plus rien à se reprocher au chapitre des stupéfiants depuis plusieurs années, il accepte de lui parler. L'homme veut lui poser quelques questions au sujet de la propriété qui appartenait à sa famille, il y a déjà belle lurette. «Avez-vous des documents en votre possession confirmant la vente légitime de votre maison à un acheteur accrédité ?» lui demande-t-il. Cet individu serait-il sur la piste des criminels qui habitaient dans son ancienne demeure ? Les journaux ont parlé en long et en large des activités douteuses qui se déroulaient au château des Lavigueur. Aujourd'hui, on lui pose des questions, à lui, insinuant du coup qu'il pourrait être impliqué d'une certaine manière avec ce qui se passait à l'Île aux Pruches. Yve se sent atteint dans son intimité, et il ne se cache pas pour le faire comprendre à son visiteur : «Écoutez, monsieur. Y est sept heures du matin, j'suis tout seul, sans avocat… Est-ce que j'suis *réellement* obligé d'répondre à vos questions ?» L'enquêteur lui répond que non, «pas réellement», mais que cela faciliterait son ouvrage. Sans vouloir entraver l'enquête sur des criminels potentiels, Yve lui dit qu'il préférerait qu'on le laisse tranquille avec cette histoire. «La vente de notre maison est de domaine public. Vous pouvez trouver toute l'information qu'vous cherchez dans les archives provinciales qui concernent les transactions immobilières. C'qui s'y trouve, c'est tout ce qu'on sait !» Les autres renseignements que l'enquêteur essaie de lui soutirer ne sont pas moins dérangeants : «Faites-vous partie d'une bande ? Connaissez-vous des membres d'un groupe de motards ?» Yve n'en peut plus. Il demande à l'homme de poursuivre son enquête ailleurs, poliment mais sévèrement.

Dès que l'agent quitte son logement, un peu sur son appétit, Yve s'empresse de téléphoner à son père pour lui faire un compte rendu de ce qui vient de se produire. Sylvie l'a aussi appelé il y a moins d'une heure : des enquêteurs ont rendu visite aux *trois* anciens propriétaires du château pour les interroger au sujet de la vente de leur maison. Il est à croire qu'on voulait s'assurer que les histoires de chacun concordaient, sans qu'il n'y ait eu de consultation préliminaire. Personne n'a été très bavard, n'ayant pas grand-chose à dire de toute manière, mais leur quiétude a néanmoins été ébranlée par ces visites. Le policier qui a interrogé Jean-Guy a même eu l'audace de lui demander s'il était affilié à une organisation criminelle ! Pour le respect d'un homme dans la soixantaine et le tact pur et simple, il faudra repasser…

On sait que les ennemis des bandes de motards règlent leurs comptes de façon dangereuse, mettant en péril la vie de leurs cibles et celle de leurs proches. Les Lavigueur se demandent bien si leur sécurité est à risque, inquiets par cette histoire qui prend des proportions démesurées. Peut-être les motards ont-ils utilisé un prête-nom en la personne de Richard Turcot pour acheter la maison sans soulever de soupçons; peut-être que certaines transactions qui ont entouré la vente de la maison n'étaient pas tout à fait honnêtes. Les anciens propriétaires l'ignorent et ne sont même pas intéressés à en apprendre davantage. «Moins on va en savoir là-dessus, répète Yve, moins on va se sentir impliqués, pis mieux on va dormir !»

Heureusement, on ne les harcèlera plus par la suite. La maison de l'Île aux Pruches est vendue aux enchères publiques, par un processus de soumissions secrètes qui sont dévoilées à Québec le 3 mars 1999. C'était la troisième fois que le gouvernement provincial tentait de vendre la maison, faute d'avoir pu trouver un preneur prêt à payer les 450 000 $ minimums demandés par le gouvernement du Québec. «Si on vendait la propriété à rabais, ce serait prendre de l'argent des poches des contribuables», affirment les autorités chargées de se départir de la maison. «D'ailleurs, nous avons déjà engagé des frais importants dans la demeure : il faut payer les gens qui l'entretiennent, les paysagistes qui s'occupent du terrain, sans oublier les quelques créanciers qu'il reste à payer…»

De plus en plus de gens sont intéressés par le château, mais leurs offres sont toujours loin d'être intéressantes. Alors qu'on s'attendait à plus de 800 000 $ (le domaine a été évalué à près de 900 000 $!), la soumission la plus élevée se chiffre aux alentours de 300 000 $. On charge un «prix d'entrée» de vingt dollars à ceux qui veulent visiter la propriété, question d'éviter les curieux; si plusieurs sont prêts à débourser cette somme dans l'espoir qu'ils tomberont sur la maison de leurs rêves, rares sont ceux qui considèrent que celle des Lavigueur vaille plus d'un quart de million. Alimentés par les commentaires de journalistes plus ou moins au fait avec la réalité, les acheteurs potentiels reprochent à la maison sa mauvaise construction et affirment que la bâtisse est déjà en voie de dépérissement «Sa notoriété lui a donné une valeur factice», répète-t-on souvent. Ces commentaires dissuadent d'autres soumissionnaires et découragent les vendeurs. Peut-être certains investisseurs ont-ils peur de froisser la bande de motards qui évoluait autour de l'ancien propriétaire ? D'autres hésiteraient-ils à habiter l'Île aux Pruches en raison de son histoire qui n'en finit plus de finir, de sa réputation qui devient moins enviable avec chaque article qui paraît au sujet du «château des Lavigueur» ?

Le domaine se retrouve finalement entre les mains de James Ho, un riche homme d'affaires asiatique, qui s'en est porté acquéreur pour moins de la moitié de ce qu'elle a coûté aux Lavigueur. Le nouveau propriétaire se fera discret et calmera les ardeurs des médias qui, une fois son nom dévoilé, haussent les épaules avec désintéressement devant le calme plat qui semble maintenant régner sur l'Île aux Pruches.

Le château des Lavigueur demeurera pourtant longtemps encore dans l'imaginaire collectif. Chaque fois qu'on procède à une transaction immobilière importante dans la ville de Laval, on compare sans faute la demeure à celle de l'Île aux Pruches. À l'aube du XXIᵉ siècle, la célèbre chanteuse Céline Dion se retire en partie du monde du spectacle avec son mari et gérant René Angélil. Ensemble, ils achètent leur propre château sur une île à Laval, d'une valeur d'environ 7,8 millions de dollars – deux cents mille dollars de plus que le montant total du gros lot remporté par la famille de la rue Logan. Le domaine comprend des tourelles de pierre, des murailles de béton, un stationnement sous-terrain, un terrain de tennis, une piscine intérieure sous un plafond de verre, ainsi que des maisons particulières pour les bonnes et les jardiniers. Les journaux et les revues font tôt de rapporter la nouvelle et de publier des photographies de ce merveilleux domaine de l'Île Gagnon, près de Boisbriand. Dans plusieurs articles à ce sujet, on compare la nouvelle résidence de Céline à celle où ont déjà habité les Lavigueur : «Une maison de dix fois la valeur du château des Lavigueur !»

Même si la famille n'y réside plus depuis près de cinq ans, même si elle a changé de propriétaire par trois fois depuis que Jean-Guy, Sylvie et Yve s'en sont départis, on les associera probablement toujours à «leur» château. La famille ne s'en formalise pas : chacun d'eux aime bien croire que cette maison de rêve où, malgré tout, ils ont vécu plusieurs années heureuses, leur appartient encore un peu.

Au mois d'août 2000, un incident malheureux vient agrandir le gouffre qui sépare les Lavigueur de leur château. Le domaine de l'Île aux Pruches est dévasté par un incendie criminel, et la destruction de l'édifice est complétée dans les jours qui suivent par une firme de démolition. On se questionne sur l'identité du malfaiteur et sur ses motifs véritables. Chose étrange : le château n'était pas assuré. Le nouveau propriétaire, qui entendait transformer le site en un plateau de tournage cinématographique, était apparemment incapable d'assurer la propriété, le site étant jugé «trop risqué». Les assureurs n'auront pas eu tort... Inquiet que des jeunes puissent se blesser dans les débris de l'incendie, James Ho a décidé de tout raser, ce qui lui coûte au-delà de cinquante mille dollars. Même si personne ne connaît l'avenir du lieu maintenant mythique qu'est l'Île aux Pruches, on sait que tout nouvel événement qui s'y produira sera suivi avec beaucoup d'intérêt par les médias et le grand public, et ce, probablement pour toujours.

CHAPITRE NEUVIÈME

Ce qu'ils sont devenus

Oncle Souris

Même si Jean-Marie Daudelin s'est retiré du noyau familial lorsqu'il est devenu millionnaire, il n'a pas pour autant négligé ceux qu'il considère toujours comme sa famille. Jusqu'à la fin de ses jours, l'oncle Souris affirme vivre la plus belle vie qui soit, satisfait du peu de luxe qu'il s'offre et de gâteries ponctuelles. Tout ce qu'il aurait pu demander à l'époque où il était moins nanti, tout ce qu'il a pu désirer et qui aurait pu s'acheter, il l'a obtenu le jour où il est devenu millionnaire.

Il y a quelques années, l'oncle Souris a vendu sa maison mobile de Saint-Ours pour s'en acheter une autre en Floride, où il passe de longs mois chaque année. Sa résidence officielle est située à Saint-Robert, où son courrier est livré dans la boîte aux lettres d'un bungalow discret. Il s'est acheté un bateau aussi, dont les amarres sont fixées à un port non loin de sa retraite américaine. Lui et sa conjointe – une ancienne infirmière devenue pâtissière qu'il a rencontrée dans la région de Sorel –, partent en mer régulièrement pour des voyages de quelques jours, loin des ennuis de la ville, dans la sérénité de la vie à son plus simple.

Atteint du diabète, Jean-Marie doit prendre grand soin de sa santé – l'argent ne saurait changer quoi que ce soit à cela. Toutes les précautions qu'il prend ne l'empêchent pas, un jour, de se blesser sévèrement à la jambe alors qu'il fait un tour de vélo. La blessure est profonde et, malgré les premiers soins qu'il y apporte, la gangrène infeste sa jambe entre le pied et le genou. On le rapatrie éventuellement au Québec pour des traitements spécialisés, ce qui l'aide d'abord à s'en remettre un peu. Mais l'oncle Souris n'est pas au bout de ses peines : il apprend peu après que son cœur est malade, comme ce fut le cas pour sa sœur, et que, l'ampleur de son diabète prenant des proportions toujours plus importantes et sa jambe atrophiée n'aidant point son cas, ses jours sont comptés.

Le 27 juillet 1996, dix ans après être devenu millionnaire, Jean-Marie Daudelin rend son dernier souffle. Ses funérailles se déroulent à Saint-Robert, là où il sera mis en terre également. Gilles Gérard, le chanteur de la formation «Les Classels», célèbre à l'époque où le mouvement yé-yé faisait danser le Québec tout entier, s'était lié d'amitié avec Jean-Marie au cours des dernières années de sa vie. La vedette se présente volontiers aux funérailles de son vieux copain, et interprète quelques chansons de son répertoire, dont une pour laquelle il adapte les paroles en souvenir de l'oncle Souris.

La conjointe de Jean-Marie hérite de tous ses biens et du solde de sa part du gros lot. Même si tout le monde a cru qu'ils étaient mariés, Diane (en qui plusieurs reconnaissent des airs de Micheline Lavigueur) et lui n'ont jamais signé de documents officiels à cet effet. Jean-Marie ne regrettera rien des jours passés à ses côtés, et personne ne dira mot au sujet de cette fortune néanmoins impressionnante qu'il lui lègue. Aux yeux des autres, son droit à la succession dépend du bonheur qu'elle a su procurer à son compagnon pendant les dernières années de sa vie. L'oncle Souris, que tous taquinaient autrefois au sujet de son air morne, est mort le sourire aux lèvres.

Jean-Guy

Jean-Guy Lavigueur avait fait encadrer l'attestation du gros lot qui leur avait été remise par Loto-Québec. Dans le même cadre, il avait fait insérer la photo officielle de la journée heureuse, sur laquelle lui et sa famille brandissent fièrement leurs chèques. Chose étrange : avec les années, l'inscription sur le document s'estompe graduellement, si bien qu'il est aujourd'hui presque impossible de déchiffrer le texte original. Qui peut résister à voir en cela une métaphore prémonitoire des derniers jours de la famille Lavigueur ?

Contrairement à ce que bien des gens semblent vouloir croire, aucun des cinq gagnants de la rue Logan n'a déclaré faillite. Aucun d'entre eux n'est cependant aussi riche qu'il l'a déjà été – à dépenser, même sans exagération, pendant une quinzaine d'années sans faire le nécessaire pour renflouer le compte en banque, ce dernier ne peut que se vider peu à peu. Il est vrai, des placements plus sages auraient pu leur valoir une retraite plus «dorée», mais Jean-Guy est heureux de savoir que, comme lui-même, aucun de ses enfants n'est dans le besoin aujourd'hui. Même si personne ne se voit aussi souvent qu'il le souhaiterait, les relations que Sylvie, Yve et Michel entretiennent entre eux sont bonnes, ce qui le laisse croire que, après son départ, personne ne se retrouvera réellement seul…

À ses yeux, le gros lot qu'il a remporté représente non pas une récompense, mais plutôt un *dédommagement*. La fatalité a voulu qu'il perde sa femme, trois de ses filles et le seul emploi qu'il était en position d'occuper dans ses dix dernières années de vie active. Il a connu des temps durs, et tous s'entendront pour dire qu'il a été éprouvé plus qu'à son tour. Et comment l'a-t-on indemnisé ? Par de l'argent, *beaucoup* d'argent. Jean-Guy aurait certainement préféré ne pas gagner le gros lot si cela avait signifié qu'il ne perde pas ce que la Fortune lui a soutiré sans crier gare. Même si aucune somme d'argent ne pourrait contrebalancer ces impitoyables malheurs, les 7,6 millions qu'il a partagés avec ses chers ont pu le consoler au moins en partie.

À présent, c'est la paix qu'il veut. Jean-Guy habite dans un modeste logement à Montréal avec sa conjointe de plusieurs années, et ne demande rien à qui que ce soit. «Pendant des années, personne a rien voulu savoir de moé», répète-t-il. «Aujourd'hui, on s'attend à c'que j'raconte toute ma vie dès qu'on m'fourre un micro en d'sous du nez. Sachez que, à c't'heure, c'est *moé* qui veut rien savoir !» Ses enfants lui demandent régulièrement si tout va bien et s'il a besoin de quoi que ce soit; Jean-Guy semble très bien se débrouiller. Chacun sait que sa santé est faible – on s'est inquiété sérieusement lorsque, un hiver, il a été assailli par une sévère pneumonie –, et sa famille et ses proches lui conseillent sans cesse de limiter ses activités autant que possible.

Ayant tout juste franchi le cap des soixante ans, Jean-Guy reste l'homme tranquille et peu exigeant qu'il a toujours été. Ce grand-père de trois enfants regarde évoluer la société à un rythme qui le surprend toujours, et essaie autant que possible de ne plus faire partie des sujets d'actualité. La politique l'intéresse un peu, mais c'est à titre de spectateur qu'il suit les grandes questions de l'heure. Dans sa maison retirée où il vit depuis plusieurs années avec sa compagne, les heures défilent une à une sans qu'il ne ressente le besoin de changer quoi que ce soit au cours des choses. Chacun fait comme bon lui semble;

il ne se mêle pas de ce qui ne le regarde pas, et s'attend à ce que les autres en fassent de même.

Il est tout de même bien fier de ses enfants, qui ont su surmonter bien des épreuves alors qu'ils étaient assez jeunes. Il est fier de Michel, qui agit en excellent père de famille, fier de Sylvie qui s'est lancée en affaires et fier de voir qu'Yve s'est pris en main.

Yve

Yve a fondé une petite entreprise d'entretien paysager avec un cousin et quelques autres associés. Il a suivi un cours offert par le Jardin botanique de Montréal, ce qui lui a donné les compétences nécessaires pour assurer le soin de la plupart des terrains privés. Leur premier mandat était d'entretenir le terrain de l'Île aux Pruches, ce qui a ouvert la voie à d'autres contrats, jusqu'à ce que la société atteigne une réputation fort respectable. Yve a fait distribuer des circulaires pour offrir ses services, a placé quelques appels auprès de gens susceptibles de vouloir profiter de son expertise et, peu à peu, s'est constitué une clientèle non négligeable. Incapable de rester à la maison dans l'attente de nouveaux contrats, il se trouvera aussi du boulot dans le domaine du recouvrement. Yve se plaît du travail quotidien qui l'occupe et «l'empêche de virer fou», comme il dit.

L'expérience de la richesse l'a bien changé. Que serait-il devenu si lui et sa famille n'avaient pas gagné le gros lot en avril 1986 ? Qu'aurait-il fait, *lui*, si, comme sa sœur Louise, il n'avait pas contribué à l'achat des billets et qu'il avait vu filer entre ses doigts plus d'un million de dollars ? Peut-être serait-il tombé dans la drogue sans jamais s'en sortir. Les dettes, la prison, la mort même; qui sait ce qui lui serait arrivé ? Il est à supposer qu'il aurait pu tout aussi bien se trouver un travail respectable et gagner sa vie à la sueur de son front, pareillement à son père... Le destin a choisi pour lui une route différente, et jamais il ne pourra vivre une vie tout à fait normale, peu importe l'argent qu'il lui reste. Chaque fois qu'il se présente, que ce soit à un groupe d'amis, pour un emploi ou à tout autre endroit où il faut s'identifier, on lui demande : «Lavigueur ? Vous ne seriez pas un membre de cette famille qui a gagné le gros lot dans les années quatre-vingts ?» Yve, qui ne ressent aucune honte face à ce qui s'est produit au cours des quinze dernières années, n'hésite pas à acquiescer.

Son passé suscite parfois de l'intérêt, parfois des rires et même du mépris. Dans un certain restaurant de l'est de la ville où Yve allait manger assez régulièrement au cours de ses premières années en tant que millionnaire, on a baptisé une salade de crevettes «la Lavigueur», puisqu'il la demandait toujours en entrée. Le fait de voir son patronyme inscrit sur le menu l'amuse toujours, puisqu'il sait que cela a été fait sans intention aucune de se moquer de lui. «Un plat qui porte mon nom : c't'un bon début», dit-il en rigolant. «Un jour, une allée dans l'quartier Centre-Sud va p't-être être nommée 'rue Lavigueur' !»

Yve habite à nouveau Montréal, dans un immeuble à
six logements dont il est le propriétaire, non loin du
Faubourg à M'lasse qui l'a vu grandir. Il ne s'en cache pas :
si tout était à recommencer, il investirait son argent de
façon bien différente, et ses avoirs seraient peut-être
beaucoup plus considérables qu'ils ne le sont réellement
au tournant du nouveau millénaire. Sa reconnaissance
envers la Providence qui a décidé de le choyer est grande,
et il n'est pas amer que la vie ne lui ait pas offert tout ce
qu'elle promettait le jour où il est devenu riche. Sans qu'il
soit nécessairement dans l'attente de son «prochain
million», Yve est optimiste que des jours glorieux
l'attendent à l'horizon.

Sylvie

Après avoir vendu son salon de coiffure, Sylvie a
acheté un gymnase : le club *Atlantis*, à Mascouche,
spécialisé dans l'haltérophilie et les exercices
cardiovasculaires. Chaque matin, elle ouvre les portes de
son *gym* à une clientèle fidèle et avide de bonne forme;
chaque soir, elle verrouille la portes de son entreprise et
entre chez elle, fourbue. Son horaire est bien chargé – elle
travaille plus de soixante heures chaque semaine –, mais
il lui permet de s'adonner à son passe-temps favori : le
culturisme. Son conjoint s'entraîne depuis quelque temps
déjà; c'est d'ailleurs lui qui l'a initiée à ce genre d'exercice
ayant pour but le développement de la musculature. Tous

les deux partagent un régime alimentaire extrêmement sévère et suivent leur programme d'entraînement avec le plus grand sérieux. Même si elle trouve parfois difficile de se priver des aliments qui la font saliver, même si elle aimerait se contenter d'un délice sucré de temps à autres ou d'un bon vieux sac de chips, les saines transformations que subit son corps la consolent et l'empêchent de trop «tricher». Bientôt, son ami et elle s'inscrivent à des concours de musculature, où tous les participants sont appelés à se pavaner devant un jury en fléchissant biceps, triceps, abdominaux et autres muscles. Si Sylvie s'adonne à ce sport pour le plaisir de la chose, son compagnon, lui, prend l'affaire beaucoup plus au sérieux. Il se classera régulièrement parmi les dix premiers dans le cadre de diverses compétitions.

Sylvie se départira avant longtemps de cette autre entreprise. Au début de 1996, elle se retrouve à la maison dans l'attente d'un enfant – une fille, comme ses deux frères ont eu avant elle. Bien qu'elle ne soit plus millionnaire, elle vivra une vie heureuse au sein de sa nouvelle famille, installée un moment à Terrebonne, puis, après sa séparation d'avec son conjoint, elle ira habiter à Saint-François-de-Laval dans un joli cottage. La nouvelle mère passera les années qui suivent à élever son enfant, tout en se promettant de retourner aux études ou, du moins, de se lancer en affaires une fois de plus avant longtemps.

Même si elle a retrouvé un anonymat relatif, il n'est pas rare qu'elle entende des gens parler de sa famille : «Ils ont dépensé tout leur argent!» dit-on à leur sujet, les comparant encore régulièrement aux personnages du film *Les Lavigueur déménagent.* De tels propos la font toujours rager, mais elle sait bien être impuissante devant ce mythe qui, elle s'en doute, lui survivra, à elle et peut-être à sa famille au grand complet. Sylvie est toujours surprise lorsqu'elle rencontre des gens qui croient que, avec l'argent, tous les problèmes peuvent se résoudre. Elle sait pourtant que les choses qui nous affectent le plus dans notre vie ne nous laissent pas indifférents le jour où nous devenons millionnaires.

Michel

Michel touche un peu à tout. Il injectera beaucoup d'argent dans la machinerie de *Power Mate*, qui produit des appareils qui facilitent le déménagement de meubles et d'appareils électroménagers difficilement déplaçables. *Thermotech*, une société productrice de batteries à huile, bénéficiera aussi de ses investissements et produira des prototypes qui seront utilisés par des véhicules gouvernementaux et différentes multinationales. Il collaborera quelque temps avec ces entreprises avant de se retirer pour se concentrer sur le monde de «l'intelligence artificielle», qui le passionne toujours plus au rythme que croissent les technologies de l'information. Aujourd'hui, il travaille toujours à son propre compte de chez lui, spécialisé dans la résolution de problèmes informatiques.

Quiconque a besoin d'un technicien surdoué pour guérir son ordinateur d'un virus ou pour surmonter différents problèmes d'application fait une bonne affaire en faisant appel à ses services.

Michel est probablement celui des enfants Lavigueur qui a causé le moins de remous pendant les quinze dernières années. Contrairement à sa sœur Sylvie, qui a bien voulue se prêter à diverses entrevues pour des magazines comme *Dernière heure*, à son père qui a accordé une entretien à Claude Charron ou à Yve qui a participé à des émissions de variété et des reportages sur les millionnaires, Michel est plutôt resté dans l'ombre. Père de famille tranquille, il demeure toujours avec la même femme, qu'il fréquente depuis son adolescence et avec qui il a eu un enfant. Il n'a pas connu les mêmes déboires que son frère aîné, et malgré le jeune âge qu'il avait lorsqu'il a gagné son million, on peut dire aujourd'hui de Michel qu'il s'est très bien adapté à sa richesse subite.

«L'argent mène le monde», dit souvent Michel. Si ce lieu commun peut faire rouler les yeux de ceux à qui il le répète, il demeure persuadé qu'on ne le comprend pas toujours tout à fait. Son frère et sa sœur sont de son avis, ayant eux aussi passé une part de leur vie sans le sou, et une autre, riches à craquer. S'il est vrai que, même millionnaires, tous les droits ne leur étaient pas octroyés, tous les trois ont constaté que, la plupart du temps, il suffisait de quelques billets pour qu'on accède à leurs moindres désirs.

On l'a accusé parfois de se croire meilleur que les autres. Il ne dément pas ces allégations, sachant pertinemment avoir agi de la sorte à plusieurs reprises. Comment pouvait-il ne pas se percevoir comme supérieur lorsque tout le monde autour de lui le traitait ainsi ? Lorsqu'il sortait dans des clubs et qu'on le reconnaissait comme un de ces fameux gagnants de la 6/49, une foule se formait aussitôt autour de lui. Les uns voulaient lui soutirer des «conseils» sur la meilleure façon de choisir un billet gagnant, d'autres ne souhaitaient que lui parler, pour le prestige de discuter avec un millionnaire ou encore dans l'espoir qu'un tel échange leur porterait chance. Certains voulaient simplement le toucher même, comme on met la main sur les reliques d'un saint pour accéder à un miracle, comme on jette des sous dans un puits en échange d'un vœu. «L'argent mène le monde en effet», se dit Michel, songeant à comment sa fortune l'a changé et aux répercussions qu'elle a eues sur son entourage. «A' l'mène par le boutte du nez.»

Jamais il ne s'habituera au fait que, de temps à autre, on parle de sa famille aux nouvelles du jour. Lorsqu'un gros lot important est gagné au Québec, il n'est pas rare que Michel ouvre le journal pour s'apercevoir que l'on compare le nouveau gain au sien, qui remonte à près de quinze ans. Les passages qui le concernent, lui et les autres, sont souvent truffés de faits inexacts ou même de pures inventions. Chaque fois qu'il voit son nom publié dans un périodique, il ressent un pincement au cœur, appréhendant les nouvelles aberrations avec lesquelles tel ou tel journaliste peut vouloir attirer l'attention de son lectorat. Il espère seulement que, lorsque sa fille sera en âge de fréquenter des amis plus au fait avec l'actualité, l'histoire de sa famille ne l'importunera pas trop…

William Murphy

On peut se questionner sur les véritables intentions de William Murphy et sur sa version des faits lorsqu'il raconte comment il a trouvé le portefeuille de Jean-Guy Lavigueur. Ceux que cet étranger a rendus riches, eux, n'ont jamais mis en doute sa bonne foi. Il demeurera pour toujours leur bienfaiteur ou, comme le dit Yve, son «Jésus». La dernière fois que les Lavigueur l'ont vu, c'est à la conférence de presse qui s'est déroulée le jour où ils ont réclamé leur prix. Murphy les a quittés en les saluant d'un coup de chapeau, puis a disparu une fois pour toutes. Jamais il ne leur écrira, ne leur parlera ou ne leur donnera le moindre signe de vie.

Sylvie a déjà songé à faire des démarches pour retrouver cet homme mystérieux pour prendre de ses nouvelles, mais elle ne saurait où commencer ses recherches. Les Lavigueur ne savent pas trop d'où provient cette rumeur, mais ils croient avoir entendu dire que leur bienfaiteur s'était rendu dans les provinces de l'Ouest canadien et avait fait quelques investissements, notamment dans une entreprise pétrolière en Alberta. Ceux qui ont partagé leur prix avec lui espèrent tous qu'il a réussi à faire fructifier son argent. Ils souhaitent aussi que, peu importe où il est et ce qu'il fait, William Murphy agit avec la même probité qui leur a valu d'accéder au rêve de la richesse.

ÉPILOGUE

Le 1ᵉʳ avril 1986 signifie une date capitale pour la famille Lavigueur, mais aussi pour le Québec tout entier. On écrivait alors le premier chapitre d'un feuilleton sensationnel qui, au fil des ans, s'est taillé une place de premier choix dans l'histoire de la société québécoise. Peu à peu, le «mythe des Lavigueur» s'est instauré dans l'imaginaire collectif, si bien que cette famille unique représente toujours l'image des nouveaux riches, le fantasme du *«rags to riches»* que l'on retrouve presque uniquement dans les contes de fées.

La saga des Lavigueur soulève aussi des questions d'ordre éthique et social. Quel est cet étrange rituel de verser une pareille fortune à des gens qui ne sont pas préparés de façon adéquate à un changement de vie aussi radical ? On peut même se demander qui a bénéficié le plus de ce gros lot : les gagnants eux-mêmes, les médias qui ont profité de tout l'intérêt soulevé par cette histoire, ou encore Loto-Québec, qui a dû réaliser des bénéfices astronomiques avec la publicité faite autour de la famille Lavigueur.

Plus de la moitié des gens qui gagnent des sommes importantes à la loterie et aux autres jeux de chance se retrouvent bredouilles quelques années plus tard. Yve Lavigueur est d'avis qu'un encadrement minimal, ne serait-ce qu'une simple séance d'information donnée par les responsables de Loto-Québec, pourrait aider les gagnants à mieux gérer leur avoir et leur donner des indices sur la meilleure manière de vivre un tel bouleversement. Certaines loteries américaines ont déjà adopté cette manière de procéder qui, sans être tout à fait au point, connaît un franc succès. Si la loterie est une «taxe volontaire», comme le disait le maire Jean Drapeau dans les années soixante-dix, est-il honnête de permettre des versements aussi importants dans les caisses d'État, lorsqu'on sait que ce sont souvent les plus démunis qui font fonctionner les valideuses de Loto-Québec ? On sait d'ailleurs que cette taxe volontaire peut même créer une dépendance, comme c'est le cas pour les loteries vidéo.

Un vieux dicton, ressuscité par les publicités pour la loterie, dit que «l'argent ne change pas le monde, sauf que...» Sauf que la vie, elle, n'est plus tout à fait la même lorsqu'un million de dollars nous tombe entre les mains.

Beaucoup de choses changent effectivement dans la vie de quiconque se retrouve riche soudainement : qui connaîtrait les Lavigueur aujourd'hui si le portefeuille de Jean-Guy ne lui avait jamais été rendu ? D'autres choses demeurent les mêmes par contre : les millionnaires de jadis achètent toujours leurs billets de loterie chaque semaine, et ne renonceront probablement jamais à leur droit de rêver.

TABLE DES MATIÈRES